GARY CHAPMAN

Couple & complices

Traduit de l'anglais (États-Unis) par Sabine Bastin

L'amour ne
périt jamais
1 corinthiens 13 - 1/13
Dieu te bénisse
Esther - Lulie

farel
EDITIONS

B.P. 20, 77421 MARNE-LA-VALLÉE CEDEX 2, FRANCE

DU MÊME AUTEUR AUX ÉDITIONS FAREL :

Les langages de l'amour
Langages d'amour des enfants (*Avec le Dr Ross Campbell*)
Ciel ! Mon bébé a grandi !
Parent d'enfants adultes (*Avec le Dr Ross Campbell*)
Les saisons du mariage
L'amour dans l'impasse
Furieux ! Furieuse !
Les langages d'amour de Dieu
Langages d'amour des solos

Titre en anglais : **Covenant Marriage**
Publié aux États-Unis par Broadman & Holman Publishers, Nashville,
Tennesse
Copyright © 2003 Gary Chapman

Traduit avec l'autorisation – Tous droits réservés
Sauf indication contraire, les versets et noms bibliques sont cités d'après la Bible en français courant.
Edition française
    Copyright © 2005 Éditions Farel
    B.P. 20
    77421 Marne-la-Vallée, Cedex 2, France
3e réimpression : 1er trimestre 2007
Traduction : Sabine Bastin
Couverture : Jacques Maré – IOTA
Composition : Éditions Farel
Impression : IMÉAF, 26160 La Bégude-de-Mazenc, France
Dépôt légal : 1er trimestre 2007 – N° d'impression : 07.0123
ISBN : 978-2-86314-315-5

Je dédie ce livre à Karolyn,
depuis plus de quarante ans ma complice
dans la construction de notre couple.

Introduction

Face à la société contemporaine, l'un des défis majeurs de l'Église est de répondre aux besoins des couples chrétiens. Par le passé, beaucoup ont cru que l'enrichissement conjugal n'était qu'une activité accessoire pour l'église locale et qu'il suffisait à cette dernière d'inscrire le sujet de temps à autre à son programme. Mais le nombre croissant de divorces au sein des communautés chrétiennes et le nombre alarmant de missionnaires et de pasteurs qui quittent le ministère à cause d'un échec du même ordre montrent que l'enrichissement conjugal n'est pas secondaire. Il se situe, au contraire, au cœur même de la mission de l'Église dans le monde moderne. Si un couple ne connaît pas la puissance qui émane de Jésus-Christ, capable de sauver et de transformer profondément l'être humain, il lui sera difficile de se détacher de son égocentrisme pour expérimenter une part de l'amour et de la joie de Jésus-Christ et les partager au sein de la relation conjugale. Les conjoints n'éprouveront pas non plus la motivation intérieure nécessaire pour continuer à s'impliquer dans l'évangélisation et les missions.

Tout conjoint trouve dans le mariage la seconde relation la plus importante de sa vie, la première et la plus essentielle étant sa relation avec Dieu. Cette dernière est primordiale parce qu'elle transcende le temps et influence considérablement toutes les autres relations. A l'échelle humaine, le mariage est considéré comme le plus intime de tous les liens. Il surpasse la relation d'un individu avec ses parents, car les Écritures enseignent que les fiancés quittent leur père et leur mère pour se marier. La relation conjugale perdure au-delà du lien qui unit le parent à son enfant, car ce dernier finit toujours par quitter le nid. Par ailleurs, la qualité du mariage affecte considérablement les enfants.

L'union conjugale est à ce point significative que Dieu l'a choisie pour illustrer sa propre relation avec son peuple. On peut ainsi lire dans l'Ancien Testament que Dieu se considère personnellement comme l'époux d'Israël (Ésaïe 54.5) et, dans le Nouveau Testament, Jésus est comparé à l'époux de l'Église (2 Corinthiens 11.2).

Quand un chrétien jouit d'un mariage équilibré, le monde entier lui sourit. A l'inverse, une relation conjugale boiteuse affecte négativement toutes les autres facettes de l'existence. Le travail de nombreuses paroisses s'est trouvé largement entravé par la détérioration des unions. De plus, comment trouver la motivation de dire à quelqu'un : « Voulez-vous devenir chrétien et être aussi malheureux que je le suis ? » Jugeant la démarche hypocrite, une telle personne préfère éviter de témoigner.

Si le couple a des enfants, la relation entre les deux conjoints influence aussi énormément la qualité de l'éducation qu'ils transmettent. Une épouse dont les besoins émotionnels ne sont pas satisfaits dans le mariage peut chercher à combler ses attentes auprès de ses enfants. Elle investit alors toute sa vie dans sa progéniture et s'effondre quand les enfants quittent la maison. Elle peut aussi devenir une mère dominatrice, qui empêche ses petits de prendre leur indépendance et leur liberté. Ces derniers entrent alors dans l'âge adulte affectés par un handicap social et émotionnel important. Un mariage vécu dans l'amour, et dont les liens se resserrent constamment, est probablement le don le plus précieux que tout couple puisse réserver à ses enfants. Il s'agit de la plus importante des aptitudes parentales.

La communication et l'intimité sont deux des aspects les plus essentiels pour développer un mariage qui se fortifie sans cesse. Si de nombreux couples ont souffert des conséquences d'un manque de dialogue, d'autres ont heureusement été bénis par la complicité née d'une bonne communication. L'idée d'intimité est au cœur même du concept biblique du mariage. En effet, la relation conjugale est à ce point intime qu'il est dit des deux partenaires qu'ils deviennent « un seul être » (Genèse 2.24). Le mot « un » dans ce verset est le même que celui employé pour décrire Dieu dans Deutéronome 6.4 : « Ecoute Israël ! L'Éternel, notre Dieu, l'Éternel est un [1]. » Le mot hébreu traduit par « un » signifie « unité composée », par opposition à une unité absolue. Dans le cas de Dieu, trois ne forment qu'un et, dans le cas du mariage, deux deviennent un. Le désir de Dieu est apparemment que la relation conjugale soit extrêmement intime. Pareille intimité peut soutenir le mariage, même dans notre société moderne.

Comment atteindre une telle intimité dans le couple ? Pour les chrétiens, la réponse s'appuie sur les postulats suivants :

- Les solutions durables pour garantir la croissance conjugale se trouvent dans la Bible.
- Notre relation avec Dieu améliore considérablement notre relation de couple.
- La communication est le premier moyen grâce auquel deux êtres n'en forment plus qu'un dans le mariage.
- L'unité conjugale n'implique pas la perte de l'individualité des conjoints.
- La sexualité était l'idée de Dieu. Ses conseils en la matière sont donc les meilleurs.
- La sexualité est un facteur important pour la croissance de la relation conjugale.
- La conception biblique de l'union conjugale implique non seulement la relation sexuelle, mais aussi l'union intellectuelle, spirituelle, émotionnelle et sociale.

Le contenu de cet ouvrage s'articule entièrement autour de ces postulats.

---

1. Version Louis Segond révisée, dite à la Colombe.

Il est probable qu'aucune relation n'exige autant de détermination dans tous les domaines que le mariage. Or, la préparation au mariage se limite souvent à un entretien informel avec un pasteur ou un prêtre. Pour les fiancés sur leur petit nuage, elle est un préparatif parmi d'autres. Ils s'engagent ainsi pour la vie à partager pratiquement le moindre aspect de leur existence commune, mais ils s'y préparent mal. Ce livre se veut avant tout une aide pour comprendre les enseignements bibliques et la manière dont ils peuvent s'appliquer dans le quotidien de la vie conjugale. Nous chercherons donc à examiner les besoins suivants :

• *Le besoin de principes clairs et bibliques pour bâtir un mariage chrétien.* Le taux de divorce n'ayant jamais été aussi élevé dans toute l'histoire de l'Occident, il est désormais manifeste qu'il nous faut envisager une autre approche, et ma conviction est qu'elle devrait être biblique. Même les chrétiens ont parfois mal interprété la Bible en la lisant à la lumière de nos modèles culturels, au lieu de la laisser façonner notre mode de vie.

• *Le besoin d'individualité au sein de la relation conjugale.* Les Écritures établissent clairement que si les conjoints deviennent « tous deux un seul être », ils ne perdent pas pour autant leur individualité. Au bout du chemin, nous serons personnellement confrontés à Dieu. Nous rendrons tous compte de notre propre existence, de la manière dont nous avons investi notre temps, notre énergie et notre argent, et si oui ou non nous avons cheminé personnellement avec Jésus-Christ. Au sein du mariage, nous formons une équipe, composée de deux individus, mais nous ne devons jamais manquer de reconnaître notre individualité respective.

• *Le besoin de comprendre que réussir sa vie dépasse la réussite du mariage.* L'appel ultime du chrétien n'est pas de bâtir un bon mariage, mais bien d'être un disciple de Jésus-Christ. Pour beaucoup d'entre nous, une bonne partie de notre vie adulte s'inscrira dans le cadre de la relation conjugale. Si nous suivons les directives bibliques destinées au mariage, cette relation peut stimuler notre croissance de disciples du Christ. Elle peut nous fournir l'occasion de mettre en pratique des principes tels que le service et l'amour inconditionnel. Toutefois, en tant que chrétiens, nous devons nous rappeler que le mariage n'est pas une fin en soi. Individuellement et en couple, nous devons nous consacrer à servir notre communauté et le monde.

- *Le besoin de découvrir et de s'approprier les principes bibliques pour gérer nos conflits, nos colères et nos malentendus.* Que dit la Bible à propos de la colère ? Comment gérer les conflits qui surgissent inévitablement dans la relation conjugale ? Comment gérer les fréquents malentendus ? Nous aborderons toutes ces questions.
- *Le besoin de comprendre la vision biblique, positive, de la sexualité humaine.* Dans notre société contemporaine saturée de sexe, il est tragique que si peu de chrétiens cernent clairement la perspective biblique de la sexualité. En Occident, certains ont transformé un don de Dieu (la sexualité) en dieu. Ils se prosternent devant l'autel du sexe. Ils investissent du temps, de l'énergie et des efforts considérables pour trouver la plénitude sexuelle. Or, pareille idolâtrie ne peut apporter la moindre satisfaction durable. Seul le chrétien qui connaît Dieu (auteur de la sexualité) et qui découvre le rôle approprié de la plénitude sexuelle au sein du mariage trouvera une véritable satisfaction dans ce domaine.
- *Le besoin d'une définition biblique de l'amour.* Dans notre société, l'amour se fonde avant tout sur les sentiments. Or, dans la Bible, l'amour n'est pas fondamentalement un sentiment, mais bien une attitude, exprimée au moyen du comportement approprié, et consistant à choisir d'édifier l'autre, de placer son intérêt avant le nôtre. L'amour est donc l'objet d'un choix. La Bible n'exclut pas pour autant les sentiments. Elle évoque l'amour romantique et, en réalité, le fait de mieux saisir la perspective biblique plus large de l'amour ne peut qu'améliorer cette facette dans notre vie.

• *Le besoin de développer des modes de communication susceptibles de renforcer l'intimité et de déboucher sur le service des autres.* Le mariage a été conçu par Dieu pour être la plus intime de toutes les relations humaines, mais pareille intimité ne peut s'obtenir en l'absence d'une communication responsable. Nous devons identifier les mauvais réflexes qui nuisent à notre intimité et développer des habitudes de communication positives qui nous rapprochent de notre conjoint. En tant qu'équipiers engagés l'un envers l'autre et progressant dans la compréhension et la sollicitude réciproques, nous apportons un plus dans un monde en quête de réponses. Notre intimité pourrait bien s'avérer le facteur le plus attirant aux yeux d'un monde qui recherche désespérément l'amour. Jésus a dit : « Si vous vous aimez les uns les autres, alors tous sauront que vous êtes mes disciples. » (Jean 13.35) Cette preuve manifeste de notre identité chrétienne ne transparaît pas seulement à travers l'Église, mais aussi à travers notre mariage.

Ces besoins sont ceux sur lesquels nous tenterons d'apporter des réponses dans les prochains chapitres. J'espère sincèrement que votre lecture fortifiera votre propre mariage dans les domaines de la communication et de l'intimité, et vous aidera également à vous sentir mieux équipé pour aider d'autres couples de votre église minés par des problèmes conjugaux. Pour commencer, intéressons-nous à la différence entre le mariage contrat et le mariage alliance.

Chapitre I

Le mariage contrat

Le concept de l'alliance parsème la Bible, mais nous n'utilisons que très rarement ce mot dans nos conversations. La plupart d'entre nous en cernent mal le sens. Quant au mariage, nous l'assimilons généralement davantage à un contrat qu'à une alliance. En réalité, les deux mots sont relativement différents. Concentrons-nous d'abord sur le mariage contrat.

La nature du contrat

Notre société aime les contrats. Le principe nous est familier et les gens disent fréquemment : « Mettons tout ceci par écrit », autrement dit : « Signons un contrat en bonne et due forme. » Ce document renforce effectivement la garantie que la personne ou l'entreprise respectera ses engagements.

Beaucoup de conjoints chrétiens ont importé cette mentalité contractuelle au sein du mariage. Ils passent leur temps à conclure des accords et à se contraindre mutuellement au respect de leurs promesses respectives. Malheureusement, ce genre de mariage engendre ressentiment, souffrance et colère, et finit par amener certains couples au divorce. Attardons-nous un instant sur cette mentalité contractuelle.

Fondamentalement, un contrat est un accord passé entre deux ou plusieurs personnes, en vertu duquel l'une d'entre elles effectuera une chose si l'autre effectue autre chose. Par exemple, la banque accepte de me laisser utiliser ma voiture si je rembourse fidèlement mes mensualités. Si je ne respecte pas mes engagements, la banque jouit du droit légal de prendre possession de mon véhicule. Notre société s'appuie sur le principe même de ces accords formels et nous signons très régulièrement des contrats de location, de vente et de service.

Ces engagements sont légalement ou moralement contraignants. Si ma femme et moi convenons que je laverai la vaisselle si elle prépare le repas, nous passons un contrat informel. Aucun tribunal ne nous demandera jamais de rendre compte du respect de nos obligations respectives, mais en tant que personnes intègres, nous sommes tous deux dotés d'un sens de la responsabilité morale qui nous pousse à respecter notre part du marché. La valeur de tout contrat informel ne dépasse jamais le degré d'intégrité des contractants. Un grand nombre de relations ont été ébranlées voire brisées suite au non-respect d'un engagement. En cas de contrat légal, l'une des parties peut poursuivre l'autre pour obtenir un dédommagement équitable. Dans le cas d'un accord informel, c'est-à-dire non légal, le contrat rompu devient source de conflit, d'accusation et, parfois, de violence verbale ou physique pour tenter de contraindre l'autre partie à respecter sa promesse.

Légalement, le mariage est un contrat assorti de certains droits et de certaines responsabilités. Il convient toutefois de distinguer le mariage légal du mariage alliance. Dans le premier cas, si l'une des parties ne respecte pas son engagement, des mesures légales la contraignent à s'y conformer ou à y mettre un terme en vertu d'un règlement équitable. Une société ne pourrait exister en l'absence de lois pour régir les relations conjugales et, en ce sens, le mariage est un contrat. Du point de vue chrétien toutefois, le mariage va plus loin ; il constitue une alliance.

Les contrats sont importants. La plupart des couples mariés ont passé d'innombrables accords au fil des années : « Si tu couches les enfants, je range la cuisine. » « Si tu laves les fenêtres à l'extérieur, je les lave à l'intérieur. » « Si tu passes l'aspirateur et dépoussières les meubles, je tonds la pelouse et taille les arbustes. » Il n'y a rien de mal à conclure pareils petits arrangements. En fait, ils s'inscrivent à part entière dans le quotidien de tout couple. Ils nous aident à accomplir les tâches nécessaires, en recourant aux capacités et aux préférences de chacun, dans l'intérêt de toute la famille.

Les problèmes surviennent quand les conjoints envisagent leur union uniquement en termes contractuels. Car alors, ils ont adopté un mode de pensée entièrement sécularisé et renoncé à la perspective biblique du mariage. La Bible considère en effet le mariage comme une alliance, même si les contrats peuvent jouer un rôle important pour parvenir à la respecter.

Les caractéristiques du contrat

Les contrats présentent cinq caractéristiques globales.

1. Les contrats sont généralement établis pour une période limitée

Pour louer une voiture, nous signons un contrat pour un délai de quelques jours. La durée d'un prêt pour acheter une maison couvrira par contre vingt ou trente ans. Pratiquement tous les contrats légaux sont établis pour une période de temps limitée. Si l'une des parties ne respecte pas ses engagements, elle doit verser un dédommagement à l'autre. La plupart des contrats sont conclus dans la perspective d'un arrangement mutuellement avantageux pour les parties impliquées. Toutefois, si les circonstances changent, les partenaires peuvent décider de rompre leur accord et d'assumer les indemnités prévues.

Si la plupart des cérémonies de mariage prévoient que les époux prononcent des vœux en s'engageant « pour la vie » ou « jusqu'à ce que la mort les sépare », beaucoup de couples donnent une interprétation contractuelle à ces paroles d'alliance. Ils se disent en réalité : « Nous nous engageons l'un envers l'autre tant que cette relation restera mutuellement avantageuse pour nous. Si, dans trois ou vingt ans, ce mariage cesse d'être réciproquement profitable, nous pourrons rompre notre accord et assumer les indemnités prévues.» Cette mentalité contractuelle prédispose le couple à divorcer quand la relation traverse une période difficile.

2. Les contrats portent souvent sur des actes précis

A l'achat d'un nouvel appareil ménager, il arrive que le commerçant propose un contrat de service après-vente qui peut être très large, et qui stipule qu'en échange de la commission prévue, l'entreprise assurera l'entretien de votre appareil pendant une période déterminée et selon des clauses précises. La plupart des contrats de service incluent les pièces et la main-d'œuvre, à quelques exceptions près. Lisez le texte imprimé en petits caractères et vous pourrez cerner précisément l'engagement pris par l'entreprise.

La majorité des accords informels conclus dans le cadre du mariage portent aussi sur des actes spécifiques. « Si tu gardes les enfants ce soir pendant que je vais au cinéma avec mes amies, je les garderai demain pendant ton match de tennis.» Ici, les conjoints ne fixent pas leurs rôles dans la relation conjugale, mais conviennent simplement d'un arrangement en vue d'activités ou d'événements ponctuels. Ces dispositions pratiques aident à négocier positivement les détails de la vie de famille. Prises dans un esprit d'amour et de sollicitude réciproques, elles peuvent favoriser une relation conjugale de type alliance.

3. Les contrats s'appuient sur la mentalité « Si tu... alors je...»

« Si vous acceptez de signer un contrat d'un an et de verser un forfait mensuel, nous vous offrirons un téléphone portable pour un euro.» Ce langage est celui d'un contrat. Il s'agit d'un instrument de négociation basé sur le désir de donner afin d'obtenir. Je refusais de l'admettre à l'époque, mais je dois avouer m'être marié dans cet état d'esprit il y a plus de quarante ans. J'étais prêt à rendre ma femme heureuse si elle me rendait heureux. Elle ne l'a pas fait, donc moi non plus. Nos difficultés ont été profondes, féroces et douloureuses pendant nos premières années de vie commune. En m'entretenant avec d'autres couples, j'ai constaté que mon épouse et moi n'étions pas les seuls à avoir adopté cette mentalité contractuelle. Malgré la profondeur spirituelle dont nous nous targuions, notre approche du mariage n'avait rien de chrétien.

4. Les contrats sont motivés par le désir d'obtenir ce que nous voulons

La personne qui propose un arrangement désire généralement obtenir quelque chose en retour. Cette envie la motive à conclure un accord avec l'autre partie. Par définition, le vendeur cherche à signer un contrat. Il initie une conversation dans le but de « faire une vente » et de récolter un bénéfice. Il peut « croire en la valeur de son produit » et être convaincu que sa marchandise « vous sera très utile », mais s'il ne cherchait pas à tirer avantage du contrat de vente, il ne tarderait pas à changer de métier.

Le principe vaut aussi dans le mariage. Si je propose à ma femme de faire quelque chose pour elle en échange d'un service de sa part, mon discours est motivé par ce que je veux obtenir. En disant : « Si je tonds la pelouse cet après-midi, pourras-tu repasser ma chemise bleue pour la fête de ce soir ? » je m'efforce de conclure un marché qui me permettra d'aller à cette soirée dans ma belle chemise bleue.

5. Les contrats sont parfois tacites

Un mari raconte : « Nous n'en avons jamais discuté, mais nous connaissons tous les deux notre arrangement. Si j'accepte de me lancer dans son projet, elle me rend la vie beaucoup plus agréable. Il est également entendu que si je ne fais pas ce qu'elle veut, elle peut me rendre la vie insupportable. » Il s'agit là d'une attitude contractuelle, qui n'a pourtant jamais fait l'objet du moindre accord verbal entre les époux. Ils ont adopté cette convention sans même en parler au préalable.

&

C'est vrai, le mariage est un engagement légal qu'il convient d'honorer, et de multiples accords informels au sein du couple nous aident souvent à utiliser efficacement nos aptitudes différentes dans notre intérêt commun. Mais le mariage chrétien est bien plus qu'un contrat. Et cette dimension supplémentaire est couverte par la notion d'alliance.

Chapitre 2

Le mariage alliance

L'expression « mariage alliance » reflète clairement le caractère unique de l'union chrétienne. « Alliance » est un terme
biblique précis. Au fil des siècles, Dieu a conclu de multiples
alliances avec les hommes.

Les alliances dans les Écritures

Dans la Bible, le mot « alliance » apparaît pour la première
fois en Genèse 6.18. Lassé de la perversion humaine, Dieu
annonce à Noé qu'il va détruire toute vie sur terre. Il ajoute :
« Mais avec toi j'établirai mon alliance ; tu entreras dans
l'arche, avec tes fils, ta femme et tes belles-filles [1]. » Dieu
précise ensuite qu'il préservera aussi le règne animal grâce à
l'arche bâtie par Noé.

C'est Dieu qui prend l'initiative de conclure cette alliance.
Elle s'avère bénéfique pour Noé, qui accepte la proposition et
s'engage à construire une arche. Noé passe un accord avec
Dieu, en vertu duquel il accomplit ce qui est en son pouvoir
(bâtir l'arche) et reçoit le don de la grâce divine qui dépasse
ses capacités (être sauvé du déluge). Dieu ne cherche pas à se

---

1. Version Segond révisée dite à la Colombe.

procurer une arche pour son usage personnel ; il n'en a nul besoin. Noé, si. En se montrant disposé à bâtir l'arche, Noé accepte le salut inclus dans l'alliance proposée par Dieu. L'Ancien Testament nous rapporte que Dieu a aussi conclu des alliances avec Abraham (Genèse 17.3-8) et Moïse (Exode 19.3-6). Il a ensuite confirmé son alliance avec David (2 Samuel 7.12-29), tandis que les prophètes rappelaient souvent à Israël son alliance avec Dieu (Jérémie 31, Ézékiel 37, Osée 2).

Le Nouveau Testament révèle en Jésus le Messie qui vient accomplir l'ancienne alliance et instituer la nouvelle (Matthieu 26.28, Luc 22.20). Les auteurs du Nouveau Testament ont à leur tour développé et utilisé ce concept (2 Corinthiens 3.6 ; Hébreux 7.22, 8.6 et 13.20).

La Bible décrit non seulement l'alliance de Dieu avec son peuple, mais aussi celles fréquemment passées entre les hommes. Ainsi, en 1 Samuel 18.1-3, Jonatan fait alliance avec David. Dans Ruth 1.16-17, Ruth conclut une alliance avec Noémi.

Rien de surprenant, dès lors, que la Bible considère également le mariage comme une alliance entre un homme et une femme. Quand l'auteur des Proverbes met son fils en garde contre toute implication avec une femme « infidèle à son premier compagnon et qui trahit ainsi son Dieu », il indique clairement que le mariage est une alliance sacrée (Proverbes 2.16-17). Dieu a souvent comparé sa relation avec Israël à un lien conjugal. Par la voix du prophète Ézékiel, il a assimilé Israël à une épouse adultère dont il se languit. « Je t'ai promis fidélité et j'ai conclu une alliance avec toi. C'est ainsi que tu fus à moi, je l'affirme, moi, le Seigneur Dieu. » (Ézékiel 16.8) Par l'intermédiaire du prophète Malachie, Dieu a exprimé son mécontentement à l'égard du divorce : « Vous aviez promis devant le Seigneur d'être fidèles à la femme que vous avez épousée dans votre jeunesse. C'était votre compagne, vous l'aviez choisie, et pourtant vous l'avez abandonnée. » (Malachie 2.14) Jésus lui-même considérait manifestement le mariage comme une alliance conclue pour la vie (Matthieu 19.4-9).

Les caractéristiques de l'alliance

Quel est donc le sens de ce mot « alliance », inscrit si profondément dans la trame biblique ? De même qu'un contrat, une alliance est un accord passé entre deux ou plusieurs personnes, mais la nature de l'engagement pris est différente. Commençons par détailler cinq des caractéristiques de la relation de type alliance.

1. L'alliance est initiée au bénéfice de l'autre

Voyez l'alliance conclue par Jonatan avec David : « Ce jour-là, Saül garda David auprès de lui, il ne le laissa pas retourner chez son père. Quant à Jonatan, il aimait tellement David qu'il conclut un pacte d'amitié avec lui. Il ôta le manteau qu'il portait et le lui donna ; il lui offrit également ses habits militaires, et même son épée, son arc et son ceinturon. » (1 Samuel 18.2-4) Remarquez que c'est Jonatan qui prend l'initiative de cette alliance. Son premier acte consiste à donner : son manteau, sa tunique, son épée, son arc et son ceinturon. Jonatan désirait conclure une alliance avec David par amour pour lui et non pour l'amener égoïstement à servir ses propres intérêts.

Lisez aussi les paroles de Ruth lorsqu'elle s'engage envers Noémi : « N'insiste pas pour que je t'abandonne et que je retourne chez moi. Là où tu iras, j'irai ; là où tu t'installeras, je m'installerai. Ton peuple sera mon peuple ; ton Dieu sera mon Dieu. Là où tu mourras, je mourrai et c'est là que je serai enterrée. » (Ruth 1.16-17) Aux versets 11 à 13, Noémi avait déjà dit clairement à Ruth qu'elle n'avait rien à lui offrir. L'engagement de Ruth envers Noémi était manifestement motivé par le souci du bien-être de sa belle-mère. L'engagement de David et de Noémi envers ces alliances était aussi fort que celui de Jonatan et de Ruth, mais ils n'en étaient pas les initiateurs. Une alliance naît du désir de combler l'autre personne, et non de la manipuler ou d'obtenir une contrepartie.

Cette particularité est également illustrée par l'alliance entre Dieu et Noé, déjà évoquée précédemment. Dieu a pris l'initiative d'épargner Noé et sa famille de son jugement. « Noé était un homme droit, fidèle à Dieu ; il vivait en communion avec Dieu. » (Genèse 6.9) L'alliance de Dieu avec Noé n'a pas été conclue pour motiver Noé à l'aimer. Elle a été proposée par souci pour son bien-être.

Après le déluge, Dieu a passé un autre accord avec Noé et ses descendants : « Voici à quoi je m'engage : jamais plus la grande inondation ne supprimera la vie sur terre ; il n'y aura plus de grande inondation pour ravager la terre […] Voici le signe que je m'y engage envers vous […] : je place mon arc dans les nuages ; il sera un signe qui rappellera l'engagement que j'ai pris à l'égard de la terre. » (Genèse 9.11-13) Dans ce cas, Dieu ne demande rien à Noé. Il indique simplement ses intentions futures et donne un signe visible de sa promesse. Chaque nouvel arc-en-ciel nous rappelle donc cette lointaine alliance.

C'est pourquoi, dans le cadre d'une alliance conjugale, chaque conjoint s'engage envers le bien-être de l'autre. De toute évidence, s'ils respectent tous deux leur engagement, ils seront tous deux gagnants. La motivation et l'attitude à adopter ne consistent pas à rechercher une satisfaction personnelle, mais bien à faire don de soi pour le bonheur de son conjoint.

Certains diront : « Allons, soyons francs : combien d'entre nous entrent vraiment dans le mariage animés par ce désir profond d'assurer le bien-être de leur conjoint ? » Je voudrais pouvoir affirmer que ma motivation première quand je me suis marié était vraiment de rendre ma femme heureuse. En toute honnêteté, je dois avouer que je pensais plutôt au bonheur dont j'allais pouvoir jouir personnellement une fois marié. Je reconnais donc que, pendant de nombreuses années, mon mariage n'a pas été une alliance. Mon comportement initial trahissait clairement un état d'esprit contractuel. J'entretenais des idées très claires sur ce qu'*elle* devait faire pour *me* rendre heureux. Je passais mon temps à tenter de *la* convaincre de suivre *mon* programme. Les premières années de notre mariage ont donc été extrêmement douloureuses et frustrantes. Sans jugement aucun, je crois pouvoir dire que notre union ne différait pas fondamentalement de la plupart des mariages actuels.

La vision que vous avez aujourd'hui de votre couple est plus importante que celle que vous aviez adoptée au début de votre mariage. Je suis heureux de pouvoir dire qu'à ce stade de notre union, je me soucie profondément du bien-être de mon épouse. J'aime consacrer du temps et de l'énergie à comprendre ses besoins et à trouver le moyen de prendre soin d'elle. Elle manifeste heureusement la même attitude à mon égard. Nous reconnaissons volontiers que nous ne sommes pas parfaits, mais nous constatons aussi que cette attitude qui consiste à rechercher le bien-être de l'autre a radicalement modifié la nature de notre relation. C'est peut-être la raison pour laquelle nous tenons si profondément au concept du mariage alliance.

2. Dans le cadre d'une alliance, les relations se caractérisent par des promesses inconditionnelles

L'alliance conclue par Dieu avec Noé et sa descendance n'était pas fondée sur leur comportement, mais elle n'impliquait pas pour autant l'absence de toute réponse. Noé était chargé de construire une arche dans laquelle il serait sauvé, ainsi que sa famille et les animaux. S'il n'avait pas bâti l'arche, il aurait péri. Ainsi, l'alliance présuppose une attitude de réciprocité chez l'autre, sans pour autant être conditionnée par son comportement. La réaction concrète de Noé marquait son adhésion par rapport à la proposition divine.

Les paroles de Ruth à Noémi n'exprimaient pas des promesses conditionnelles. Elle n'a pas dit : « Je t'accompagnerai dans ton pays d'origine et je verrai comment les choses tourneront. Si tout va bien pour moi, je resterai, sinon, je reviendrai chez moi. » L'engagement de Ruth envers Noémi ne prévoyait aucune réserve de cette sorte. Il était, au contraire, tout à fait inconditionnel.

A première vue, certaines alliances proposées par Dieu paraissent formulées en termes conditionnels. Par exemple, en Exode 19.5-6 : « Maintenant, si vous écoutez bien ce que je vous dis et si vous respectez mon alliance, vous serez pour moi un peuple particulièrement précieux parmi tous les peuples. En effet toute la terre m'appartient, mais vous serez pour moi un royaume de prêtres, une nation consacrée à mon service. » La promesse divine peut sembler conditionnée par l'obéissance du peuple. Or, ce n'était pas le cas. Dieu s'était engagé à faire d'Israël un royaume de prêtres et une nation sainte. Il n'a pas annulé son alliance quand le peuple a refusé d'obéir à ses commandements, mais Israël ne pouvait effectivement pas jouir des avantages de l'alliance de Dieu sans collaborer avec lui. Les Israélites ne pouvaient former une nation sainte et un royaume de prêtres à moins de marcher dans la sainteté avec Dieu et d'être disposés à exercer un ministère auprès des autres peuples. L'Ancien Testament rapporte qu'il leur est souvent arrivé de manquer de loyauté envers Dieu. Celui-ci a pourtant continué à leur tendre la main, génération après génération, afin d'œuvrer avec ceux au sein de la nation d'Israël qui se montreraient réceptifs envers lui et se conformeraient à son alliance. C'est précisément ce reliquat de croyants, à la fois à l'époque de l'Ancien et du Nouveau Testament, qui a pu jouir du bénéfice de l'alliance passée par Dieu avec Israël. Les promesses de Dieu étaient donc inconditionnelles, mais le fruit de l'alliance ne pouvait être savouré à moins d'accepter d'y répondre.

Appliquons maintenant ce principe à la relation conjugale. Un mari reconnaît avoir accordé peu de temps de qualité à sa femme, n'avoir pas été à l'écoute de ses soucis, de ses joies et de ses difficultés. Il s'engage à devenir un auditeur fidèle afin de mieux comprendre les idées et les sentiments de son épouse, et ainsi s'efforcer de mieux prendre soin d'elle. Si son engagement est inconditionnel, son écoute ne dépendra ni de l'humeur de sa femme, ni de ce qu'elle partage. Il écoutera, quelles que soient les circonstances. Toutefois, pour bénéficier pleinement de cette « alliance », son épouse devra accepter de parler et de partager ses pensées et son avis. Si elle refuse, la promesse de son mari sera entravée, sans pour autant être annulée. Il n'aura pas renoncé à sa promesse, même si sa femme se place dans l'impossibilité d'en bénéficier en refusant de se confier.

La plupart des alliances de Dieu exigent une réaction de notre part si nous voulons en jouir pleinement. Elles ne sont cependant jamais fondées sur le principe du « donnant donnant ». Ainsi, Dieu s'est engagé à pardonner nos péchés et cette promesse est inconditionnelle. Mais pour connaître le pardon de Dieu, nous devons être prêts à reconnaître notre péché. Comme l'a dit l'apôtre Jean : « Si nous confessons nos péchés à Dieu, nous pouvons avoir confiance en lui, car il agit de façon juste : il pardonnera nos péchés et nous purifiera de tout mal. » (1 Jean 1.9) Dieu est entièrement disposé à pardonner tous nos péchés, à tout moment, et il n'annulera pas son engagement, mais pour bénéficier de cette promesse, nous devons accepter de répondre personnellement par la confession et par la foi en Jésus-Christ.

Les mariages alliances se caractérisent donc par des promesses inconditionnelles. A travers les vœux traditionnels, l'engagement pris par les époux s'exprime en termes inconditionnels. Par exemple, de nombreuses cérémonies incluent la question : « Voulez-vous prendre cette femme pour épouse et vivre avec elle dans le cadre des liens sacrés du mariage, en promettant de l'aimer, de la consoler, de l'honorer, de la protéger et de lui rester fidèle, dans la santé et dans la maladie, jusqu'à ce que la mort vous sépare ? » Et le mari répond : « Oui, je le veux. » Puis la femme prend un engagement similaire envers son époux.

Il s'agit là du langage d'un mariage alliance et non d'un mariage contrat. Malheureusement, après avoir verbalement conclu une alliance, les conjoints appliquent les termes d'un contrat, en vertu duquel le moindre don est conditionné par l'attitude positive de l'autre.

3. L'alliance repose sur un amour constant

L'expression « amour constant » est la meilleure traduction du mot *hesed* dans l'Ancien Testament et du mot *agape* dans le Nouveau. L'amour constant est au cœur du mariage alliance. Parfois, le mot *hesed* est traduit par « alliance ». La plupart du temps, cependant, il est traduit par « bonté ». Par exemple : « Les bontés du Seigneur ne sont pas épuisées, il n'est pas au bout de son amour. Sa bonté se renouvelle chaque matin. Que ta fidélité est grande, Seigneur ! » (Lamentations 3.22-23) Les chrétiens peuvent puiser un grand réconfort dans la certitude que Dieu les aime d'un amour qui ne varie pas. Nous n'avons pas à nous demander quelle sera son attitude à notre égard demain. Nous savons qu'elle sera identique à aujourd'hui, car son amour n'a pas de fin.

Le Nouveau Testament décrit ce type d'amour dans les termes suivants :

L'amour est patient, l'amour est bon, il n'est pas envieux, il ne se vante pas, il n'est pas orgueilleux ; l'amour ne fait rien de honteux, il n'est pas égoïste, il ne s'irrite pas, il n'éprouve pas de rancune ; l'amour ne se réjouit pas du mal, mais il se réjouit de la vérité. L'amour permet de tout supporter, il nous fait garder en toute circonstance la foi, l'espérance et la patience. L'amour est éternel.

~ 1 Corinthiens 13.4-8

Nous pouvons signer un contrat avec pratiquement n'importe qui, même un démarcheur inconnu, mais les alliances se concluent uniquement avec des êtres aimés. Voyez celle de Jonatan avec David : « Jonatan, le fils de Saül, se prit d'affection pour le jeune homme et se mit à l'aimer comme lui-même [...] Quant à Jonatan, il aimait tellement David qu'il conclut un pacte d'amitié avec lui. » (1 Samuel 18.1, 3) L'alliance conclue par Jonatan avec David ne visait pas à établir une relation d'amitié ; elle naissait d'une relation d'affection déjà établie.

L'alliance de Dieu avec Noé reflétait son amour pour lui, ainsi que la réponse de Noé : « Noé était un homme droit, fidèle à Dieu ; il vivait en communion avec Dieu. » (Genèse 6.9) Dieu n'a pas décidé arbitrairement de conclure une alliance avec Noé. Celle-ci reposait sur une relation d'amour existante. Quand nous nous tenons devant le pasteur ou le prêtre lors de la cérémonie du mariage, nous ne sommes pas là pour conclure une alliance visant à piéger notre conjoint dans une relation. Nous sommes là parce que nous avons déjà établi avec notre partenaire une relation d'amour. L'alliance ainsi conclue devant Dieu et nos témoins découle directement de notre amour l'un pour l'autre. L'amour constant de Dieu nous motive à accepter son alliance. Au plus profond de nous, nous savons que Dieu cherche notre intérêt ultime. C'est pourquoi nous pouvons, avec confiance, consacrer notre vie à l'aimer et à le servir. Il en va pratiquement de même dans le mariage. Nous savons au préalable que nous aimons et que nous sommes aimés ; nous pouvons donc librement nous engager pour la vie. Nous sommes alors responsables de maintenir cette attitude au fil de notre union.

Il ne s'agit manifestement pas de l'amour dans sa définition romantique. L'amour évoqué ici est bien plus profond. Il possède une facette émotionnelle, mais il consiste avant tout à adopter un certain état d'esprit et une certaine attitude envers son conjoint. L'amour constant choisit d'éprouver de l'estime pour l'autre, de se concentrer sur ses qualités et de lui exprimer son appréciation. Il veut aussi exprimer cette attitude positive à travers des actes concrets.

L'amour constant refuse de se concentrer sur les défauts du conjoint. Il ne s'agit pas de les ignorer mais, au contraire, d'en discuter, surtout s'il existe un potentiel de changement. L'amour constant refuse de s'appesantir sur ces côtés négatifs. La violation de ce principe a détruit de nombreux mariages. Peu d'individus peuvent supporter la condamnation et le harcèlement permanents de leur conjoint. Une attitude de jugement n'encourage pas à changer, mais plutôt à renoncer. Si nous nous concentrons sur les qualités de notre conjoint, en exprimant verbalement notre appréciation, il se montrera davantage disposé à lutter contre ses défauts.

Dans quelle mesure nos émotions sont-elles affectées par notre état d'esprit ? Quand le mari ou la femme choisit d'exprimer un amour constant, cela entraîne inévitablement des sentiments positifs. Plus vous exprimez votre appréciation envers les qualités de votre conjoint, plus son amour pour vous est renforcé. Par contre, plus vous pointez ses échecs et ses défauts, moins ses sentiments à votre égard sont favorables. Nos sentiments sont influencés par nos pensées et nos paroles. Répétez-vous à quel point votre conjoint est horrible, passez mentalement en revue toutes ses petites manies horripilantes et vous finirez par déprimer. Concentrez-vous au contraire sur ses qualités, ne vous privant pas de dire à quel point vous le trouvez merveilleux ; sachez apprécier pleinement votre conjoint et vous verrez naître en vous des sentiments positifs.

L'amour constant est un choix. Voilà pourquoi Paul a commandé aux maris d'aimer leurs femmes (Éphésiens 5.25) et aux femmes d'apprendre à aimer leurs maris (Tite 2.4). Ce qui peut être commandé, enseigné et appris n'est pas hors de notre portée. Nous choisissons l'attitude que nous adoptons envers notre conjoint. L'amour constant est le facteur le plus important du mariage alliance. Choisir de porter un regard positif sur son conjoint et de songer à lui en termes favorables affecte grandement la nature de la communication du couple.

Si vous avez grandi sans beaucoup de soutien de la part de vos parents, cet aspect prend une importance extrême dans le cadre du mariage. Il existe peu de choses plus édifiantes pour une personne mariée que l'amour constant de son conjoint. Cette conviction intérieure d'être aimé et l'attitude positive de notre partenaire envers nous contribuent grandement au développement de notre estime personnelle et nous aident à accomplir notre potentiel pour Dieu et pour le monde.

4. L'engagement pris dans l'alliance est permanent

Relisez les paroles de Ruth à Noémi : « N'insiste pas pour que je t'abandonne et que je retourne chez moi. Là où tu iras, j'irai ; là où tu t'installeras, je m'installerai. Ton peuple sera mon peuple ; ton Dieu sera mon Dieu. Là où tu mourras, je mourrai et c'est là que je serai enterrée. Que le Seigneur m'inflige la plus terrible des punitions si ce n'est pas la mort seule qui me sépare de toi ! » (Ruth 1.16-17) Cette déclaration respire la permanence. Ces mots sont si beaux qu'ils reviennent fréquemment dans les cérémonies de mariage.

Voyez les mots de l'alliance conclue par Dieu avec Noé :

Voici le signe que je m'y engage envers vous et envers tout être vivant, aussi longtemps qu'il y aura des hommes [...] il n'y aura jamais plus de grande inondation pour anéantir la vie. Je verrai paraître l'arc-en-ciel, et je penserai à l'engagement éternel que j'ai pris à l'égard de toutes les espèces vivantes de la terre.

~ *Genèse 9.12, 15-16*

Chaque nouvel arc-en-ciel nous rappelle la permanence des alliances divines.

Au niveau humain, la permanence caractérise aussi l'amitié entre Jonatan et David. Leur alliance a été conclue quand David était jeune et bien avant qu'il devienne roi d'Israël. Des années plus tard, après la mort de Jonatan, David se demande : « Reste-t-il un survivant de la famille de Saül ? J'aimerais le traiter avec bonté, à cause de Jonatan. » (2 Samuel 9.1) On découvre alors que Jonatan a un fils estropié, appelé Mefibaal, encore en vie. David le fait venir dans sa maison et prend soin de lui pendant le reste de ses jours. L'alliance entre David et Jonatan était permanente, allant jusqu'à transcender la mort de Jonatan. David voulait témoigner de la bonté à l'égard du fils de Jonatan parce qu'il avait conclu une alliance avec ce dernier.

Que reste-t-il de la pérennité de nos engagements ? Il fut une époque où un jeune homme pouvait partir au combat, revenir quatre ans plus tard et savoir que son père et sa mère seraient encore mariés. Aujourd'hui, il s'en va à l'université pour un semestre et découvre à son retour que ses parents ont divorcé après trente années de vie commune.

« Jusqu'à ce que la mort nous sépare » ou « tout au long de notre vie », expressions courantes dans les cérémonies de mariage, sont autant de marques d'alliance. Or, l'alliance possède indiscutablement une vocation permanente. Il ne s'agit pas d'un contrat passé pour les cinq prochaines années ou jusqu'à ce que nous trouvions une raison valable de mettre un terme à notre union. Le mariage chrétien est un engagement à vie.

Certains peuvent objecter : « Un chrétien doit-il persister à maintenir une relation destructrice parce que la Bible promeut l'idéal du mariage monogame à vie ? » Il est évidemment facile de répondre à cette question depuis sa tour d'ivoire, et plus difficile d'y répondre dans les affres de la souffrance au quotidien. Il est incontestable que l'idéal biblique consiste en une femme et un homme mariés ensemble pour la vie. En tant que chrétiens, nous ne devons pas réduire cet idéal. Mais que faire lorsque l'idéal paraît loin ? La réponse à cette question réside dans la cinquième caractéristique de l'alliance.

5. L'alliance exige la confrontation et le pardon

Examinez les alliances de Dieu avec son peuple à travers l'Ancien Testament, depuis Noé (Genèse 9) et Abraham (Genèse 17) jusqu'à Moïse (Exode 19), Josué (Josué 24) et David (2 Samuel 7), en passant par bien d'autres, et vous constaterez que le peuple a souvent manqué de respecter ses engagements envers Dieu. Même en ne lisant que quelques passages de l'Ancien Testament, on ne peut que s'étonner des fréquents échecs d'Israël. Dieu a-t-il abandonné son peuple pour cette raison ? Très clairement, la réponse est non. Dieu a-t-il pour autant ignoré leurs manquements ? Une fois encore, la réponse est non. Dieu a systématiquement confronté Israël à ses faiblesses, mais il est toujours demeuré disposé à pardonner.

Ces deux réactions — confrontation et pardon — sont essentielles au mariage alliance. La confrontation consiste à tenir l'autre personne responsable de ses actes. Pardonner signifie se montrer prêt à lever la peine prévue et à poursuivre une relation aimante, en constante progression.

Le Psaume 89 résume ce principe en décrivant l'alliance de Dieu avec David, à propos de l'établissement éternel de son royaume. Il dit (versets 31 à 38) :

Si ses descendants abandonnent ma loi, s'ils ne suivent pas mes décisions, s'ils violent mes ordres et n'observent pas mes commandements, alors je prendrai un bâton pour punir leur désobéissance, et j'userai de coups pour châtier leur faute. Mais je ne leur retirerai pas ma bonté, je ne trahirai pas ma fidélité. Je ne romprai pas mon engagement, je ne reviendrai pas sur ce que j'ai promis. J'ai fait ce serment solennel : aussi vrai que je suis Dieu, jamais je ne serai déloyal à David. Sa descendance continuera toujours, j'y veillerai ; sa dynastie se maintiendra aussi longtemps que le soleil, tant que la lune sera là, fidèle témoin, derrière les nuages.

La réponse de Dieu à l'échec de l'homme a toujours consisté à le mettre face à ses responsabilités et à manifester le désir de pardonner. Notre échec ne pousse pas Dieu à annuler son alliance. Au contraire, Dieu a prévu notre échec. Cela ne signifie pas pour autant qu'il le prend à la légère, car la croix du Christ marque à jamais le coût inestimable du pardon. Cependant, une relation d'alliance avec Dieu serait impossible s'il n'avait pas prévu l'échec de l'homme. Il en va de même des relations humaines. Personne n'est parfait. Nous finirons toujours par nous décevoir mutuellement. Nous manquerons de respecter les engagements pris les uns envers les autres. Ce genre d'échec ne détruit pas pour autant notre alliance, mais il appelle à la confrontation et au pardon.

Ignorer les échecs de son conjoint n'ouvre pas la voie à la croissance conjugale. Souffrir en silence ne correspond pas non plus au principe du mariage alliance. Une personne ayant son couple à cœur dira : « Je t'aime trop pour garder le silence quand je constate que tu brises notre engagement. Ce que tu fais me blesse profondément, mais je suis disposé à te pardonner. Pourrions-nous renouveler notre alliance ? »

Ces vœux à nouveau prononcés émaillent la relation qui unit Dieu à son peuple. Nous en trouvons des exemples en Josué 1.16-18 et 24.14-28. Le même pardon est proposé au chrétien en 1 Jean 1.9 : « Si nous confessons nos péchés à Dieu, nous pouvons avoir confiance en lui, car il agit de façon juste ; il pardonnera nos péchés et nous purifiera de tout mal. » Remarquez que si le pardon de Dieu est offert, il ne peut être expérimenté que si nous sommes prêts à confesser nos péchés.

De même, dans un mariage alliance, chacun des conjoints doit manifester le désir de pardonner, mais le pardon ne peut être consommé et la relation restaurée que si tous deux sont prêts à assumer la responsabilité de leurs actes et à reconnaître leurs manquements. Le mariage alliance se caractérise par l'engagement de mener une existence responsable et le désir de pardonner quand son conjoint échoue. Certaines personnes trouveront la confrontation difficile. Des expériences passées les ont amenées à se replier sur elles-mêmes quand on les blesse, au lieu d'affronter leur interlocuteur. Nous devons comprendre que la confrontation n'est pas un acte négatif et qu'il ne doit pas se produire dans l'agressivité et la méchanceté. Elle est simplement l'instrument utilisé par l'amour pour entretenir l'intimité du couple. Il s'agit de partager ses blessures et son amertume, et de donner ainsi à son conjoint l'occasion d'expliquer ses actes, pour comprendre qu'ils n'étaient pas forcément mal intentionnés, ou reconnaître ses torts et demander pardon.

Tous les couples connaîtront des échecs. Même si nos alliances ont été faites avec sérieux, nous échouerons à les respecter. Un mariage solide ne sera pas anéanti par quelques échecs. Il le sera, par contre, si nous ne sommes pas prêts à assumer nos erreurs et à renouveler notre engagement. Comme Jacob dans l'Ancien Testament, nous devons revenir à Béthel et renouveler notre alliance avec Dieu (Genèse 35.1-15). Dans le cadre conjugal, nous devons aussi renouveler notre alliance régulièrement.

L'esprit de pardon importe tout autant que la volonté de faire face aux fautes commises. Certains éprouvent des difficultés à pardonner. Ils se montrent généralement durs avec eux-mêmes et donc, durs avec les autres. Ils s'imposent des exigences sévères et sont le plus souvent perfectionnistes. Parce qu'ils exigent beaucoup d'eux-mêmes, ils attendent aussi beaucoup des autres. Ceux-là doivent comprendre que le pardon est une facette incontournable du mariage alliance. Ils doivent aussi accepter que le pardon n'est pas un sentiment, mais plutôt une promesse. Notre pardon est la promesse de ne pas retenir un échec à l'encontre de notre conjoint. Puisqu'il a confessé son erreur, nous levons la peine prévue et choisissons de le traiter à l'avenir comme s'il n'avait jamais échoué. C'est précisément le pardon que Dieu nous accorde quand nous acceptons le sacrifice de Jésus pour nos péchés. C'est le pardon que nous sommes en mesure d'accorder aux autres parce que nous avons été pardonnés.

↳

A l'image de l'alliance de Dieu avec son peuple, qui fut renouvelée et étendue à différents individus de différentes générations à travers l'Ancien et le Nouveau Testament, l'alliance conjugale doit être renouvelée et étendue au fil des années. Quels engagements avez-vous pris le jour de votre mariage ? Peut-être serait-il utile de vous remémorer votre cérémonie de mariage. Quels vœux avez-vous prononcés depuis lors ? Peut-être devriez-vous prendre de nouveaux engagements ou répéter les promesses prononcées par le passé. Vous pourriez constater que vous avez davantage considéré votre mariage comme un contrat que comme une alliance. Les contrats représentent éventuellement une facette positive du mariage, mais ils ne peuvent seuls forger une alliance. L'intimité et la plénitude désirées par Dieu pour le mariage ne seront expérimentées que si nous nous sommes engagés à vivre un mariage alliance.

Si tout cela vous paraît « inaccessible », « trop ambitieux », « impossible pour des êtres imparfaits » ou « en décalage absolu » avec le monde moderne, je vous invite à lire sans tarder le chapitre 3.

Chapitre 3

Mariage alliance : rêve ou réalité ?

- Un mariage alliance est initié au bénéfice du conjoint.
- Un mariage alliance nécessite des promesses inconditionnelles.
- Un mariage alliance repose sur un amour constant.
- Un mariage alliance s'appuie sur un engagement permanent.
- Un mariage alliance exige la confrontation et le pardon.

A la lecture des chapitres 1 et 2, il apparaît manifeste que le mariage alliance n'est pas le plus répandu en Occident. La plupart des couples, chrétiens ou non, entretiennent une relation contractuelle. C'est d'ailleurs l'une des raisons pour lesquelles le taux de divorce parmi les chrétiens a augmenté ces dix dernières années. Faut-il en conclure, dès lors, que l'idéal biblique est dépassé, inaccessible pour l'homme moderne, tel un rêve qui subsiste dans nos mémoires, mais ne fait qu'alimenter notre culpabilité si nous cherchons à l'appliquer dans la société contemporaine ?

La réponse

Je dois avouer avoir personnellement traversé une période où j'ai eu le sentiment que pareille alliance était impossible. Dans ma frustration, je n'ai pas tardé à en conclure que deux options tout aussi pénibles l'une que l'autre s'offraient à moi : rester marié et être malheureux pendant le reste de mes jours ou divorcer, espérer que Dieu me pardonne et prier qu'un jour, quelque part, je trouve le bonheur auprès d'une autre femme. En désespoir de cause, j'ai prié : « Seigneur, j'ai tout essayé pour réussir ce mariage, mais je ne sais plus quoi faire désormais. » Au moment de mon appel désespéré, j'étais en faculté de théologie. J'ai dit à Dieu : « Cela ne marchera jamais. Je ne pourrai pas prêcher ta Parole devant une assemblée, alors que je suis si malheureux sous mon propre toit. »

Ce n'est pas une voix audible qui m'a répondu, mais aussi clairement que si mes oreilles les avaient perçus, voici les mots qui ont pénétré mon esprit frustré : « Pourquoi ne lis-tu pas la vie de Jésus ? » « Lire la vie de Jésus ? m'étonnai-je. J'étudie la théologie et j'ai déjà lu la vie de Jésus plusieurs fois. » Mais cette pensée persistait : *Pourquoi ne lis-tu pas la vie de Jésus ?* J'ai donc fini par répondre : « Très bien, je vais lire la vie de Jésus », et j'ajoutai : « Si quoi que ce soit m'a échappé, montre-le-moi. »

J'étais déjà convaincu que Jésus était le plus grand leader que le monde ait jamais connu. Beaucoup de non-chrétiens reconnaissent volontiers que personne n'a influencé le cours de l'humanité comme lui. Cependant, en m'attardant sur sa manière de diriger ses disciples, je vis qu'il ne leur imposait jamais des demandes égoïstes. Au contraire, il nous est décrit une serviette autour de la taille et les mains plongées dans une bassine d'eau pour laver les pieds de ses apôtres. Et pour éviter que ses actes soient mal interprétés, après avoir achevé cette corvée humiliante, il s'est levé pour expliquer :

Comprenez-vous ce que je vous ai fait ? Vous m'appelez « Maître » et « Seigneur », et vous avez raison, car je le suis. Si donc moi, le Seigneur et le Maître, je vous ai lavé les pieds, vous aussi vous devez vous laver les pieds les uns aux autres. Je vous ai donné un exemple pour que vous agissiez comme j'ai agi envers vous. Je vous le déclare, c'est la vérité : aucun serviteur n'est plus grand que son maître et aucun envoyé n'est plus grand que celui qui l'envoie.

Maintenant vous savez cela ; vous serez heureux si vous le mettez en pratique.

~ *Jean 13.12-17*

J'ignore comment vous réagissez à ces paroles, mais au moment où j'ai lu ces versets, l'idée même de laver des pieds ne m'attirait guère ! En réalité, je ne pouvais imaginer de service plus déplaisant. Pourtant, quand il m'apparut enfin que Jésus cherchait en fait à enseigner l'attitude du serviteur, j'ai compris que j'avais agi exactement à l'opposé dans le cadre de mon mariage. J'avais imposé des exigences à mon épouse. J'avais attendu d'elle qu'elle me rende heureux. J'ai compris que, sous mon apparence de pasteur, je n'étais rien de plus qu'un homme parfaitement en phase avec la société moderne. Dans mon désespoir, j'ai crié à Dieu : « Seigneur, je veux ressembler à Jésus. » Cette prière m'a permis de franchir la première étape vers le mariage alliance.

Appliquer le principe du service

J'aborderai maintenant les questions qui m'ont aidé à transposer ce principe du service dans le cadre pratique de mon mariage. Quand j'ai enfin été disposé à les poser, mon mariage a progressivement évolué. Ces questions sont : Comment puis-je t'aider ? Comment puis-je te faciliter la vie ? Comment puis-je être un meilleur mari pour toi ?

Quand j'ai accepté de formuler ces questions, j'ai constaté que ma femme était prête à y répondre. Elle ne manquait pas d'idées sur la façon dont je pouvais devenir un meilleur mari ! Notre mariage a changé parce que j'ai décidé d'apprendre à la servir. Pas du jour au lendemain, bien sûr, car la douleur était trop profonde, mais la situation a néanmoins évolué.

Deux mois environ après avoir adopté cette nouvelle approche, j'ai découvert un soir en rentrant à la maison que ma femme avait préparé mon plat préféré. Je n'avais rien demandé. J'avais d'ailleurs cessé de demander quoi que ce soit parce que mes requêtes étaient toujours interprétées comme des ordres. Un rôti de bœuf accompagné de pommes de terre trônait pourtant sur la table. J'étais conquis, non seulement par le parfum délicieux qui s'en échappait, mais aussi parce qu'elle l'avait préparé spontanément. J'ai donc continué à poser mes questions et à suivre ses suggestions, et j'ai progressé dans l'art du service. Peu à peu, elle a corrigé certaines de ses habitudes qui avaient suscité mes critiques par le passé.

Au bout de quatre mois, j'ai songé pour la première fois : « Après tout, je pourrais peut-être l'aimer à nouveau. » Je n'avais pas éprouvé de sentiments amoureux depuis longtemps. Je n'éprouvais plus que colère, souffrance et amertume. J'étais en colère contre Dieu, contre moi-même et contre mon épouse. J'étais furieux contre Dieu parce que je raisonnais en ces termes : « Avant de me marier, je t'ai demandé de ne pas me laisser l'épouser si ce n'était pas elle et toi, tu m'as laissé faire ! » J'étais furieux contre lui parce qu'il m'avait permis de m'engager dans cette impasse. J'étais furieux contre moi-même : « Comment ai-je pu être stupide au point d'épouser une femme avec laquelle je ne parviens pas à m'entendre ? Comment ai-je pu laisser faire *ça* ? » A cette époque, j'étais aussi furieux contre elle et je songeais : « Je sais, moi, comment réussir mon mariage. Il suffirait qu'elle m'écoute et nous serions heureux, mais elle refuse de m'obéir. » Bref, j'étais un homme très en colère avant de relire la vie de Jésus.

Quatre mois après avoir décidé de suivre réellement son exemple, j'éprouvais à nouveau des sentiments amoureux pour ma femme. Peu de temps après cette renaissance, je l'ai regardée un jour en songeant : « Cela ne me déplairait pas d'avoir de nouveau une relation physique avec elle si je savais qu'elle ne s'y opposerait pas. » Je n'envisageais pas encore de le lui demander, mais je trouvais la perspective agréable. A ce stade, je savais que notre mariage était sur la bonne voie.

Nous marchons désormais sur cette route depuis un long moment. Au fil des années, j'ai tendu la main vers elle pour découvrir et satisfaire ses besoins de mon mieux. A son tour, elle a consacré sa vie à me connaître et à m'aimer. Ce qui est arrivé à notre mariage n'est rien de moins que miraculeux. Je suis convaincu qu'il s'agit là du genre d'union que Dieu a prévu pour ses enfants.

Dans un mariage alliance, mari et femme sont tous deux gagnants. Or, pendant les premières années de notre union, nous étions tous deux perdants, comme deux adversaires sur un champ de bataille. Chaque affrontement nous laissait tous deux meurtris et il ne nous restait plus qu'à soigner nos plaies jusqu'au prochain round. Quand j'ai commencé à imiter réellement Jésus et qu'elle a réagi de façon similaire, notre mariage est devenu un partenariat. Je sais sans le moindre doute que je n'aurais jamais accompli tout ce que j'ai fait si ma femme n'avait pas été là pour m'encourager et me soutenir dans mes efforts. Je crois sincèrement qu'elle a accompli davantage dans la vie parce que j'ai été là pour la soutenir et l'encourager. Je pense profondément qu'il s'agit là du plan de Dieu pour le mariage : deux personnes qui se consacrent mutuellement leur vie et comprennent que le but ultime de l'existence n'est pas simplement de jouir d'un bon mariage. Dieu attend de nous que nous soyons le meilleur soutien de l'autre afin qu'ensemble, nous accomplissions chacun plus pour son royaume que nous aurions pu le faire seuls.

Suis-je au beau milieu d'un rêve ? Alors ne me réveillez surtout pas. Je me rappelle l'histoire d'un prédicateur qui proclamait l'amour de Dieu dans la rue et appelait les passants à la repentance. Un agitateur passa par là et décréta : « Tais-toi donc, espèce de vieillard stupide et rêveur ! » Quelques instants plus tard, la fille du prédicateur, âgée de douze ans, lui tapa sur l'épaule et lui dit : « Monsieur, j'ignore qui vous êtes, mais je tiens à vous dire que c'est mon père qui prêche là-bas. Il était alcoolique. Il rentrait à la maison, volait mes vêtements et les vendait pour s'acheter à boire. Quand il a rencontré Dieu, il a trouvé un emploi, il a commencé à travailler et à m'acheter des vêtements, des chaussures et des manuels scolaires. Il n'a plus jamais bu une seule goutte d'alcool. Aujourd'hui, il consacre tout son temps libre à dire aux gens ce que Dieu a fait dans sa vie. Alors, Monsieur, si mon père est en train de rêver, surtout ne le réveillez pas. De grâce, ne le réveillez pas ! »

Oui, j'ai fait un rêve et je crois qu'il peut devenir réalité. Je rêve du jour où des milliers de maris chrétiens *liront la vie de Jésus* et découvriront la clé du mariage alliance. Je crois qu'il s'agit là de la volonté de Dieu.

Une alliance personnelle avec Dieu

Efforçons-nous d'abord de nous concentrer sur notre alliance avec Dieu. Zacharie, le père de Jean-Baptiste, était profondément conscient de celle qui avait été conclue par Dieu avec Israël, quand il a dit :

> Il a fait apparaître un puissant Sauveur, pour nous, parmi les descendants du roi David, son serviteur [...] Il avait promis [...] qu'il manifesterait sa bonté à nos ancêtres et se souviendrait de sa sainte alliance. Car Dieu avait fait serment à Abraham, notre ancêtre, de nous libérer du pouvoir de nos ennemis et de nous permettre de le servir sans peur, pour que nous soyons saints et justes devant lui tous les jours de notre vie.

> ~ *Luc 1.69, 72-75*

L'alliance de l'Ancien Testament avait prévu le sacrifice d'animaux et l'aspersion de sang pour expier le péché des hommes. Au fil du temps, nombreux sont ceux qui ont offert de tels sacrifices en signe de l'accord passé avec Dieu. Quand Jésus a institué le repas du Seigneur, il a dit : « Ceci est mon sang, le sang qui garantit l'alliance de Dieu et qui est versé pour beaucoup. » (Marc 14.24) Ainsi, son sacrifice sur la croix fut l'ultime sacrifice pour l'expiation des péchés. Désormais, tous ceux qui désirent entrer dans l'alliance de Dieu le peuvent en acceptant son sacrifice. Quand nous acceptons « Jésus comme Sauveur », nous disons simplement : « Oui, j'accepte la proposition de Dieu et sa promesse de pardon et de vie éternelle. » Le repas du Seigneur est le symbole de notre foi en la mort du Christ pour notre salut.

Le baptême est un autre symbole, mais le salut ne s'obtient pas au moyen d'une image. Même notre foi ne nous attribue aucun mérite vis-à-vis de Dieu. Elle est la réponse à la grâce offerte par Dieu à travers son alliance. Il s'est engagé à nous permettre de vivre une relation éternelle avec lui. Nous entrons dans son alliance dès que nous plaçons notre foi en Jésus-Christ. L'essence de toutes les promesses prononcées par Dieu au fil de l'histoire peut être résumée par ces mots : « Je serai votre Dieu et vous serez mon peuple. » Paul évoque cette alliance lorsqu'il dit : « Il en fut ainsi pour que la bénédiction promise par Dieu à Abraham soit accordée aux non-Juifs grâce à Jésus-Christ, et pour que nous recevions par la foi l'Esprit promis par Dieu. » (Galates 3.14) Quand nous acceptons le Christ pour Sauveur, le Saint-Esprit vient vivre en nous. Nous entamons alors avec Dieu une relation qui se développe au fil des années et se prolonge jusque dans l'éternité. Il s'agit de la première étape pour devenir un disciple de Jésus.

Les caractéristiques du mariage alliance donnent l'impression qu'il est issu « d'un autre monde ». Il ne paraît pas naturel parce que nous sommes tous centrés sur nous-mêmes et qu'il est totalement anormal d'attendre de nous que nous nous concentrions sur le bien-être d'un autre individu. Je suis le premier à admettre qu'en l'absence de l'œuvre du Christ et de l'action du Saint-Esprit dans ma vie, je suis en réalité un homme égoïste et je ne parviendrai jamais à surmonter ce handicap. Toutefois, en Jésus-Christ, je possède une nouvelle nature, qui me motive à chercher le bonheur d'autrui. Il s'agit précisément du défi lancé aux maris en Éphésiens 5.25, où il nous est non seulement demandé d'aimer notre femme, mais aussi de prendre pour modèle l'exemple du Christ qui « a aimé l'Église et donné sa vie pour elle ». Son attitude est celle que nous devons adopter. Il ne fait aucun doute qu'il s'agit du désir de Dieu. C'est pourquoi, en tant que chrétiens, nous ne devons pas appliquer la norme culturelle. Nous devons plutôt reconnaître qu'en Jésus-Christ, nous avons la capacité de transcender une forte pulsion d'égoïsme et d'égocentrisme pour nous donner à notre femme.

L'amour constant est-il une utopie dans le cadre de la vie quotidienne ? Sans l'aide de Dieu, je crois que la réponse est oui. En tant que chrétiens, cependant, nous disposons de l'aide du Seigneur. Paul nous rappelle que « Dieu a versé son amour dans nos cœurs par le Saint-Esprit qu'il nous a donné »

(Romains 5.5). L'amour immuable de Dieu est à la disposition de tout chrétien. Une fois encore, le chrétien possède un avantage. Le non-chrétien est limité à l'attitude positive qu'il est en mesure de générer lui-même dans son cœur. Le chrétien, lui, a la capacité de recevoir l'amour de Dieu et de le dispenser aux autres. Nous pouvons canaliser l'amour de Dieu au bénéfice de notre conjoint.

Il m'arrive de rencontrer des personnes qui se sont concentrées sur les seuls défauts de leur conjoint depuis si longtemps qu'elles éprouvent des difficultés à discerner encore ses qualités. Elles se demandent : « Comment puis-je exprimer une opinion favorable alors que je ne distingue plus rien de positif en lui (elle) ? » La réponse consiste à suivre l'exemple de Dieu lui-même : « Dieu nous a montré à quel point il nous aime : le Christ est mort pour nous alors que nous étions encore pécheurs. » (Romains 5.8) Dieu n'a pas attendu pour nous aimer que nous devenions aimables à ses yeux. Les Écritures affirment qu'il ne peut pas souffrir le péché ; il en a horreur. Il nous a pourtant aimés, même quand nous étions pécheurs.

« C'est possible pour Dieu, rétorqueront certains, mais pas pour moi. » Une fois encore, je me tourne vers la vérité exprimée en Romains 5.5 : « Dieu a versé son amour dans nos cœurs par le Saint-Esprit qu'il nous a donné. » La capacité de Dieu d'aimer des individus détestables nous est accessible. Si nous ouvrons notre cœur à l'amour de Dieu et lui disons en substance : « Seigneur, tu connais la personne avec laquelle je vis ; tu sais que j'éprouve de grandes difficultés à discerner le moindre côté positif en elle. Je sais pourtant que tu l'aimes. C'est ton amour que je voudrais déverser sur elle, car le mien est limité. Utilise mes mains, mes lèvres et mon corps pour exprimer ton amour. » Nous pouvons recevoir l'aide de Dieu et apprendre à aimer ce que nous jugeons peu aimable.

Peut-être vous demandez-vous : « Comment puis-je persister à pardonner à mon conjoint alors qu'il ne cesse de réitérer les mêmes affronts à mon égard ? » Pierre a soulevé la même question : « Seigneur, combien de fois devrai-je pardonner à mon frère s'il ne cesse pas de pécher contre moi ? Jusqu'à sept fois ? — Non, lui répondit Jésus, je ne te dis pas jusqu'à sept fois, mais jusqu'à soixante-dix fois sept fois.» (Matthieu 18.21.22) De toute évidence, il y a matière à douter de la sincérité d'une personne qui répète la même erreur aussi souvent, mais Jésus indique par sa réponse que nous n'avons pas la capacité d'en juger. Puisqu'elle confesse son erreur, Jésus dit que nous devons lui pardonner. A long terme, la bonne réaction à ces blessures récurrentes consiste plutôt à comprendre pourquoi la personne persiste à échouer à cet égard. Un accompagnement pourrait s'avérer nécessaire pour trouver la réponse. Le conseil d'amis chrétiens ou d'un pasteur, voire un amour persistant (parfois la plus puissante expression de l'amour) pourrait aussi motiver le conjoint à affronter son problème de manière responsable. Il faudra assurément traiter le mal à la racine pour obtenir un progrès durable.

⚓

Les normes du mariage alliance dépassent effectivement la capacité humaine. Mais, en tant que chrétiens, nous disposons de l'aide de Dieu. Par sa puissance, nous pouvons pardonner comme il pardonne et aimer comme il aime. Le mariage alliance ne dépend pas de la perfection de l'homme ; il est fondé sur l'amour constant alimenté dans notre cœur par le Saint-Esprit, qui nous donne la capacité de donner et de pardonner. Une relation intime avec Dieu est donc la clé pour transformer le rêve en réalité.

Nous appuyant sur les fondations de notre relation intime avec Dieu, nous pouvons ensuite nous concentrer sur le développement de notre intimité conjugale. Dans le chapitre 4, nous explorerons les raisons pour lesquelles l'intimité est indispensable dans un mariage alliance.

Chapitre 4

L'importance de l'intimité

Henri était un diacre fidèle qui manquait rarement une réunion et se montrait généralement d'humeur joviale et optimiste. Ce soir-là, pourtant, je remarquai qu'il était arrivé en retard et ne disait pas grand-chose. Après la réunion, il s'attarda alors que les autres se dispersaient.

– Comment vas-tu, Henri ? demandai-je.

Il baissa les yeux et répondit :

– Je crois que je ne comprendrai jamais rien aux femmes.

– Qu'est-ce qui te fait dire ça ?

– Eh bien, ma femme pense que nous manquons d'intimité dans notre mariage. Elle dit que nous ne sommes plus aussi proches qu'auparavant. J'ai du mal à l'admettre, mais j'ignore ce dont elle parle. J'ai toujours trouvé notre mariage satisfaisant, mais elle a vraiment l'air très malheureuse ces derniers temps. Je ne sais plus quoi faire.

Comme Henri, nombreux sont ceux qui comprennent la notion d'intimité de manière erronée. Beaucoup connaissent le mot, mais cernent mal sa signification. Je poserai donc les questions suivantes : Qu'est-ce que l'intimité ? Pourquoi importe-t-elle à ce point dans un mariage alliance ? J'aimerais souligner que c'est Dieu qui est à l'origine de cette idée. Très tôt, en considérant Adam, il a décrété : « Il n'est pas bon que l'homme reste seul. » (Genèse 2.18) Le terme hébreu traduit par « seul » signifie littéralement « coupé ». Nous utiliserions le même mot pour décrire le fait de se trancher la main. Il n'est pas bon pour la main de rester seule, retranchée du corps, n'est-ce pas ? De même, Dieu a décrété qu'il n'était pas bon que l'homme soit seul, littéralement coupé des autres. Dieu évoquait là ce qui fut progressivement identifié comme l'un des problèmes émotionnels les plus profonds de notre société. Les sociologues l'ont baptisé « aliénation » ; la plupart d'entre nous l'appelons « solitude ».

Nous avons été conçus sur le plan psychologique, spirituel et physique de telle manière que nous avons soif de vivre dans l'intimité d'un autre individu. Il n'est pas normal pour un être humain de vivre dans l'isolement.

Pour répondre à la solitude d'Adam, Dieu a créé Ève et institué le mariage. « Le Seigneur Dieu se dit : [...] Je vais le secourir en lui faisant une sorte de partenaire. [...] et ils deviendront tous deux un seul être. » (Genèse 2.18, 24) Le mot hébreu signifiant « un » est le même que dans Deutéronome 6.4 : « Écoute, Israël ! L'Éternel, notre Dieu, l'Éternel est un [1]. » Il décrit une unité composée d'éléments distincts. Dans le cas de Dieu, ils sont trois à n'en former qu'un seul : le Père, le Fils et le Saint-Esprit forment un unique Dieu. Dans le mariage, ils sont deux à devenir un. Cette unité s'inscrit au cœur même de la raison d'être du mariage et pourrait paraphraser le mot « intimité ».

Cette unité ou intimité conjugale n'implique pas pour autant la perte de notre individualité. La Bible distingue clairement Dieu le Père, Dieu le Fils et Dieu le Saint-Esprit. Un seul Dieu est exprimé à travers trois personnes. Elles sont distinctes tout en ne formant qu'un seul être. Nous disons de Dieu qu'il est l'unité dans la diversité. Le mariage chrétien présente la même particularité. La diversité permet notre liberté, notre unicité. L'unité est le reflet d'une profonde intimité.

Vous êtes-vous jamais trouvé seul devant une musique, un

---

1. Version Segond révisée dite à la Colombe.

paysage ou un parfum, en pensant : « Comme je voudrais que mon conjoint soit ici » ? Qu'est-ce qui motive cette remarque ? C'est le désir profond et naturel de partager sa vie avec une autre personne, avec laquelle nous entretenons une relation privilégiée. La plupart d'entre nous trouvent le moyen de saisir l'instant au moyen de photographies, de cartes postales, d'enregistrements ou d'autres supports pour pouvoir plus tard (par lettre, par téléphone ou lors d'une rencontre) partager cette expérience avec leur conjoint. Le mariage a été conçu par Dieu pour nous délivrer de la solitude.

Je ne sous-entends pas qu'il faille être marié pour être heureux mais je pense que, même dans le cadre du célibat, hommes et femmes ont besoin d'autres êtres humains. Les célibataires, comme les couples mariés, ont le désir et le besoin de moments de solitude pour la lecture, la réflexion, la prière, etc., mais à côté de ce désir de vie privée, se trouve aussi le besoin d'amitié et de proximité.

Dieu a conçu le mariage pour qu'il soit la plus intime de toutes les relations humaines. Nous y partageons notre vie (intellectuelle, sociale, émotionnelle, spirituelle et physique) à un point tel que l'on peut dire de nous que nous devenons « un ». Le degré d'intimité atteint par un couple chrétien dans chacun de ces domaines détermine le degré de satisfaction général de son mariage. Inversement, la part d'intimité absente dans ces domaines donne la mesure du vide qui caractérise la relation du couple. Dans notre société, beaucoup de partenaires vivent ensemble, en restant pourtant seuls, « coupés » l'un de l'autre. Ils ne trouvent pas l'intimité décrite dans la Bible.

Il est évident que cette proximité englobe toutes les facettes de l'existence. Dans le domaine intellectuel, les conjoints partagent leurs pensées, leurs expériences, leurs idées et leurs désirs. Socialement, ils partagent des interactions avec le monde extérieur : concerts, divertissements, pique-niques, etc., dans le cadre desquels ils entrent en relation. D'un point de vue émotionnel, les conjoints se font part de leurs sentiments et de leurs réactions aux événements de la vie. L'intimité spirituelle implique l'échange sur un détail qui nous a touchés dans notre moment d'intimité avec Dieu ou sur un principe biblique édifiant. L'intimité physique couvre tout le domaine du toucher : se tenir la main, s'embrasser, s'étreindre et avoir des relations sexuelles. Il est possible que l'un de ces domaines soit davantage développé qu'un autre. Idéalement, tous devraient se développer au fur et à mesure que les conjoints progressent ensemble.

Que voulait dire l'épouse d'Henri en constatant : « Notre mariage manque d'intimité » ? Je ne pouvais pas le savoir à moins d'en parler avec elle, mais j'étais plus ou moins certain que, dans un ou plusieurs de ces domaines, elle n'éprouvait pas le sentiment de faire « un » avec Henri. L'intimité réside au cœur même du mariage et ce besoin humain a poussé Dieu à créer Ève et à instituer la relation conjugale. Le mariage privé d'intimité ressemble à une plante flétrie par le manque d'eau, car elle est la pluie qui donne au mariage sa vitalité ; elle revêt donc une extrême importance pour le mariage alliance. C'est pourquoi, dans les prochains chapitres, nous nous concentrerons sur les moyens pratiques d'améliorer l'intimité du couple.

Certains individus, comme Henri, se disent malgré tout contents de leur mariage. « J'ai toujours trouvé notre mariage satisfaisant », a-t-il déclaré. J'ai découvert plus tard qu'il n'avait jamais été proche de quiconque. Toutes ses relations, y compris la famille dans laquelle il avait grandi, étaient tout à fait creuses sur le plan émotionnel. Il avait appris à vivre sans intimité. Après en avoir été privé si longtemps, il n'éprouvait pas le besoin conscient de l'expérimenter. En réalité, Henri avait très peu conscience de ses émotions. Les notions mêmes de besoins émotionnels ou de relation émotionnelle lui étaient totalement étrangères.

ॐ

Dans le chapitre 9, nous aborderons la question : « Comment se familiariser avec ses émotions ? » Puis, au chapitre 10, nous verrons comment favoriser l'intimité émotionnelle. Auparavant, j'aimerais m'attarder sur une question plus fondamentale : quel est le lien entre la communication et l'intimité ?

Chapitre 5

Communication :
la voie vers l'intimité

À la question : « Pourquoi votre mariage a-t-il échoué ? »,
86 % des couples divorcés interrogés ont répondu : « Mauvaise
communication. » S'il faut en croire ce constat, la communication conjugale est primordiale.

Dans sa forme la plus élémentaire, elle consiste à parler et à
écouter. Mais si l'expression verbale et l'écoute ne sont pas
assorties d'un retour franc et aimant de la part de l'auditeur, la
communication restera très limitée. En fait, elle engendrera
probablement malentendus et incompréhensions. Dans le
cadre d'une bonne communication conjugale, le mari et la
femme partagent leurs pensées, leurs sentiments, leurs
expériences, leurs valeurs, leurs priorités et leurs opinions, et
s'écoutent mutuellement avec intérêt. Tous les deux se livrent
avec le même degré d'ouverture et de franchise. (Dans les
chapitres ultérieurs, nous verrons comment améliorer ce
processus dans la pratique.)

L'exemple divin

La communication de Dieu avec l'homme peut servir de
modèle au couple. Les Écritures disent que Dieu a parlé à
l'homme de nombreuses façons au cours de l'Histoire. Il s'est
exprimé par l'intermédiaire d'anges, de visions, de rêves, de la

nature, de la création et, par-dessus tout, à travers son Fils, Jésus-Christ. Tout ceci nous est rapporté dans la Bible. Comment cette dernière a-t-elle vu le jour ? « C'est parce que le Saint-Esprit les guidait que des hommes ont parlé de la part de Dieu. » (2 Pierre 1.21) Il en résulte que la Bible nous transmet les paroles de Dieu. Nous avons donc la possibilité de le connaître parce qu'il s'est exprimé. Nous savons cependant que de nombreuses personnes n'ont pas de relation avec lui, soit parce qu'elles n'ont pas écouté sa révélation, soit parce qu'elles ont refusé son appel. Elles n'entretiennent, dès lors, aucune relation ni aucune communion avec Dieu. Il n'existe aucune intimité entre elles et le Créateur.

Pour d'autres, l'intimité avec Dieu est plutôt une question de degré. Il est évident la proximité avec Dieu varie beaucoup d'un chrétien à l'autre. Pour connaître une intimité croissante avec Dieu, il convient de communiquer régulièrement avec lui. Nous devons l'écouter lorsqu'il nous parle dans sa Parole et nous devons lui répondre en exposant honnêtement nos pensées, nos sentiments et nos décisions. Quand Dieu parle, nous l'écoutons. Quand nous parlons, Dieu nous écoute. A travers ce processus et après un certain temps, tout être humain peut jouir d'une intimité de plus en plus profonde avec le Dieu de l'univers. Il n'existe rien dans la vie de plus important que cette relation, car elle améliore tous les aspects de l'existence, à la fois présente et à venir.

Il en va de même dans le mariage alliance : la communication mène à l'intimité. Nous seuls connaissons vraiment nos propres pensées. L'expression : « Je peux lire en lui comme dans un livre ouvert » est pur mensonge. Femmes, vous pensez peut-être savoir ce qui se passe dans l'esprit de votre mari, mais en réalité, vous l'ignorez. Maris, vous *savez* que vous ignorez ce qui se passe dans sa tête, n'est-ce pas ? Si vous êtes marié depuis trente ans et que vous avez développé une bonne communication, l'expression ci-dessus peut comporter un semblant de vérité. Cependant, nous restons globalement incapables de lire les pensées d'autrui.

Le langage corporel est supposé nous en apprendre

beaucoup sur les individus par la façon dont ils croisent les bras ou les jambes, s'assoient, parlent, ou d'après leurs mimiques. Il est vrai que l'observation fournit des indices sur l'état d'esprit de notre interlocuteur, mais nous ne pourrons jamais connaître ses pensées simplement en le regardant. Ainsi, si vous voyez une femme en pleurs, vous pouvez supposer qu'elle est dans l'angoisse. Mais votre constat ne vous permet pas de savoir si elle souffre de la perte de son conjoint ou d'un enfant, si elle vient d'être licenciée ou si elle s'est « écrabouillé » le pouce avec un marteau. Il pourrait même s'agir de larmes de joie. Vous ne connaîtrez la vraie raison de son émotion que si elle choisit de vous la confier.

La communication verbale est essentielle pour comprendre ce qui se trame à l'intérieur des individus. S'ils ne nous confient pas leurs pensées, leurs sentiments et leurs expériences, nous en sommes réduits à devoir les deviner. Malheureusement, nos déductions sont souvent fausses et sources de malentendus. C'est pourquoi l'intimité passe forcément par la communication. Nous n'expérimenterons jamais le dessein de Dieu pour le mariage si nous ne communiquons pas. En comprenant progressivement le processus de la communication et en apprenant comment surmonter les obstacles, notre expérience de l'intimité nous procurera la joie voulue par Dieu.

Le premier pas

La suite de ce livre traite des moyens d'améliorer la communication et l'intimité. Nous verrons quelques-unes des raisons pour lesquelles 86 % des personnes divorcées affirment que le principal problème dont souffrait leur couple était une mauvaise communication. Mais avant d'aborder les aspects plus graves, je vous propose une démarche simple pour améliorer votre communication : planifiez un moment de partage quotidien avec votre conjoint. Les conjoints qui prennent un temps chaque jour pour s'asseoir, se regarder dans les yeux et se parler connaissent un degré d'intimité plus élevé que ceux qui se contentent de converser où et quand ils le peuvent. Ces couples parleront aussi davantage ensemble à d'autres moments.

De quoi, vous demandez-vous, devez-vous parler pendant ces temps ? Misez sur la simplicité et ce que j'appelle le « minimum quotidien indispensable » : « Raconte-moi trois choses qui te sont arrivées aujourd'hui et comment tu les as vécues. » J'ai mené une enquête qui m'a permis de conclure que 50 % des couples mariés ne pratiquaient pas ce minimum quotidien indispensable. Quand je mentionne cela dans des réunions pour couples, il se trouve toujours quelqu'un dans l'assemblée pour affirmer : « Oh, mais nous le faisons déjà » ou « Je suis bien certain que nous partageons déjà au moins trois anecdotes chaque jour. » Alors j'approfondis. « Formidable. Racontez donc au groupe les trois événements que vous avez partagés ensemble aujourd'hui. » Immanquablement, ils répondent : « Eh bien, nous n'avons pas eu le temps de parler aujourd'hui, parce que nous devions assister à cette réunion. Nous avons dû nous dépêcher pour ne pas arriver en retard. » Je poursuis : « Très bien. Partagez alors avec le groupe les trois choses que vous vous êtes confiées hier. » « Eh bien, euh, en fait… Hier soir, il y avait une réunion de parents d'élèves et nous n'avons jamais le temps de parler ces soirs-là. » « Fort bien. Partagez alors les trois choses que vous vous êtes raconté avant-hier. » « Avant-hier, c'était soirée football. Il est impossible de discuter les soirs de match… surtout si on perd ! » Vous pourriez bien constater, vous aussi, que vous ne respectez pas le minimum quotidien indispensable.

Certains se plaignent : « Ma vie est la même chaque jour. Je n'ai rien à raconter. C'est toujours la même routine. À quoi bon partager quoi que ce soit ? » Aucun d'entre nous ne vit la même chose chaque jour. Notre travail est peut-être monotone et nos tâches quotidiennes répétitives, mais nous n'entretenons pas pour autant les mêmes pensées au fil de la journée. Nous éprouvons des sentiments différents. Et certains détails changent chaque jour : le trafic sur le trajet du bureau, le menu du déjeuner, les conversations avec nos collègues ou nos voisins, ainsi que la météo et les nouvelles à la radio ou à la télévision. Les journées se suivent, mais ne se ressemblent pas. Nous nous servons peut-être de cette excuse pour ne rien raconter à notre conjoint.

Et d'autres de gémir : « Mais il ne se passe jamais rien d'important dans ma vie. » Qui décide de ce qui est important ? Votre vie n'a peut-être pas été très stimulante aujourd'hui, mais c'est votre vie et, pour connaître l'intimité dans votre mariage, vous devez la partager. Si votre journée a été monotone, donnez à votre partenaire la possibilité de répondre à votre ennui. Si vous ne vous dévoilez pas, il n'aura pas la moindre chance de savoir où vous en êtes sur le plan émotionnel et il ne lui restera plus qu'à tenter de deviner. Or, les déductions sont souvent inexactes.

Tous les couples ont besoin d'un moment quotidien pour se regarder en face, se parler et s'écouter en décrivant leur journée respective. Ce temps de qualité est l'un des exercices les plus fondamentaux qu'ils puissent pratiquer pour améliorer leur intimité. Nombre d'entre eux passent des journées entières sans connaître pareil temps de partage. Chaque conjoint est soumis à des horaires serrés et tous deux se contentent de communiquer les détails nécessaires pour assurer la routine journalière. Sur le plan émotionnel, ils ne cessent de s'éloigner.

Il est question ici du niveau le plus élémentaire et le plus aisé de la communication : échanger avec l'autre sur une partie des événements de la journée et ce que nous en avons pensé. La communication régulière à ce niveau fondamental érige une plate-forme qui soutient la communication à des niveaux plus intimes, et parfois plus difficiles.

Les couples qui désirent connaître une relation intime doivent partager non seulement une partie des péripéties de leur journée, mais aussi les sentiments qui y sont liés. Ainsi, un mari rentre chez lui après le travail et rapporte à sa femme sa conversation avec son supérieur. Ce dernier lui a annoncé une prochaine augmentation. La femme demande : « Et quel est ton sentiment, mon chéri ? » Il peut répondre : « Je suis ravi ! Je n'attendais pas d'augmentation avant le 1er janvier. » Ou bien au contraire, il pourrait admettre : « Tu veux la vérité ? Eh bien, je suis déçu. L'augmentation aurait dû être deux fois plus importante. » Peu importe sa réaction, l'épouse connaît désormais mieux son mari. Parce qu'il a partagé un peu de sa vie émotionnelle, elle peut pénétrer dans son univers et connaître un degré d'intimité plus profond avec lui. S'il n'exprime pas verbalement ses sentiments, elle peut les deviner partiellement grâce à son attitude, mais leur communication sera beaucoup plus claire s'il les décrit de vive voix. Nous sommes des créatures émotionnelles et nous réagissons émotionnellement aux menus événements de la journée. Pour développer notre intimité conjugale, nous devons apprendre à partager nos émotions.

Pour de nombreux couples, la communication au quotidien se résume au scénario suivant : Le mari rentre à la maison. La femme rentre à son tour. Elle lui dit : « Comment s'est passée ta journée, mon chéri ? » Il répond : « Super », en allumant le poste de télévision pour regarder les nouvelles du soir ou en se dirigeant vers le jardin pour tondre la pelouse. Bien qu'ils aient été séparés pendant huit à dix heures, « coupés » l'un de l'autre, il résume leur temps de séparation par un seul mot : « Super. » Il se demande alors pourquoi sa femme se plaint d'un manque d'intimité dans leur mariage ! Un seul mot ne peut pas suffire à résumer dix heures de séparation.

$$\text{✣}$$

Une communication de qualité ouvre la voie de l'intimité. Une mauvaise communication conduit les couples vers des chemins sans issue et leur fait prendre de nombreux détours. Dans les prochains chapitres, je tenterai de vous fournir une feuille de route pour vous aider à vous diriger vers un mariage alliance intime à travers une communication productive.

Au chapitre 6, nous commencerons par examiner certains schémas négatifs de communication. Nous devrons identifier et éliminer nos mauvais réflexes, puis trouver de nouvelles façons de communiquer qui engendrent compréhension et intimité.

Chapitre 6

Briser
les schémas négatifs
de communication

La communication n'est pas un événement ponctuel, mais plutôt un processus semblable à la respiration, sans laquelle nous ne pouvons survivre. De même, l'intimité ne s'acquiert pas définitivement. Une fois expérimentée, on ne peut l'enfermer dans un coffre. Elle est instable et directement liée à la qualité de la communication du couple.

Or, pour connaître l'intimité, il ne suffit pas de communiquer ; encore faut-il le faire sainement. Telles des fumées toxiques potentiellement létales, les modes de communication malsains peuvent détruire toute intimité. Dans nos efforts pour conserver notre équilibre émotionnel, nous développons certaines habitudes pour réagir et communiquer avec notre conjoint. Après quelque temps, nous n'avons même plus conscience des modèles que nous appliquons car nous nous bornons à réagir de la manière qui nous est devenue la plus naturelle.

Certains de nos réflexes sont positifs et favorisent l'intimité conjugale. En revanche, bon nombre d'entre eux sont négatifs et éloignent les conjoints au lieu de les rapprocher. Certains couples désirent sincèrement connaître l'intimité mais, à leur insu, leurs modes de communication deviennent de plus en plus nuisibles. Pour pouvoir corriger les mauvais réflexes, il nous faut d'abord les identifier. Au fil des années, les spécialistes du mariage ont cerné les habitudes préjudiciables les plus répandues. Elles se transmettent de parent à enfant et il n'est pas rare qu'elles se reproduisent de génération en génération. La bonne nouvelle est qu'elles peuvent aussi être brisées par tout couple désireux d'examiner ses lacunes et d'apporter les modifications nécessaires.

Drôles d'oiseaux

L'observation des réflexes de nos parents peut nous permettre d'identifier plus facilement les nôtres. Dans ce chapitre, nous décrirons quatre modes négatifs de communication. Songez au modèle parental et voyez s'il correspond à l'un d'entre eux. Considérez ensuite votre propre mariage et voyez si votre manière de communiquer est identique ou différente. Dans ce dernier cas, dans quelle mesure s'en écarte-t-elle ? Presque tous ces réflexes malsains sont engendrés par le besoin de conserver sa stabilité émotionnelle, d'entretenir une bonne opinion de soi. Mais étant négatifs, ils nuisent à notre intimité conjugale. Les quatre schémas de communication inappropriés que je vais décrire peuvent être illustrés par des noms d'oiseaux : la colombe, le faucon, le hibou et l'autruche.

La colombe : « La paix à tout prix ! »

Ce modèle amène constamment l'un des partenaires à apaiser l'autre pour éviter sa colère. La colombe dira souvent : « C'est parfait pour moi » ou « Si tu es content, je le suis aussi. » Elle s'efforce toujours de faire plaisir, en s'excusant fréquemment, même pour des broutilles qui auront déclenché la colère de son conjoint. La colombe n'est pratiquement jamais en désaccord avec son partenaire, quels que soient ses propres sentiments.

Il y a plusieurs années, j'ai conseillé un homme dont l'épouse venait de quitter le foyer après vingt-cinq années de mariage. Quand je lui ai demandé : « Qu'est-il arrivé à votre union ? » il a répondu : « Je me suis efforcé d'y réfléchir et je pense avoir compris. Au début de notre mariage, ma femme m'irritait par mille et un détails mais, comme vous le savez, je suis quelqu'un de pacifique et je déteste les conflits. Comme vous le savez aussi, ma femme possède par contre un tempérament fougueux. Quand j'exprimais mon désaccord ou mon irritation, elle explosait systématiquement. Alors, pour éviter cela, j'ai de plus en plus souvent choisi d'esquiver l'affrontement. Dans nos conversations, je m'arrangeais pour lui indiquer que, quoi qu'elle ferait, dirait ou voudrait, tout serait bon pour moi, même si j'éprouvais intérieurement une profonde amertume.

« En repensant à toutes ces années, je constate que j'ai progressivement allongé mes journées de travail. A la maison, je passais de plus en plus de temps devant l'écran d'ordinateur et de moins en moins avec ma femme. Je n'étais pas pleinement conscient de ce que je faisais, mais rétrospectivement, je m'aperçois que je m'éloignais de plus en plus d'elle sur le plan émotionnel, pour éviter tout conflit. L'un et l'autre, nous nous sommes pleinement impliqués dans notre travail et les activités d'église ; et nous n'avons cessé de nous éloigner. Après un certain temps, nous ne nous disputions plus mais nous n'avions également plus la moindre relation. Je suppose qu'elle a fini par se dire que la vie avait sans doute mieux à lui offrir que ce que nous vivions et elle m'a quitté pour chercher ce qu'elle ne trouvait plus dans notre couple. »

En s'efforçant d'éviter les conflits et de préserver sa sécurité et son équilibre émotionnels, cet homme avait fermé la porte à la moindre intimité. Son histoire illustre parfaitement ce qui attend les colombes. La paix à tout prix affiche, en effet, un prix très élevé.

Le faucon : « Tout est de ta faute. »

Le faucon rend son conjoint responsable de tout. Il est l'accusateur, le patron, le dictateur qui n'a jamais tort. Il dit généralement : « Tu ne fais jamais rien de bon. Tu t'arranges toujours pour tout gâcher. Je ne comprends pas comment tu as pu te montrer aussi stupide. Si tu ne t'en mêlais pas, tout se passerait bien. »

Le faucon a l'apparence d'un individu fort et belliqueux mais, en réalité, il est faible sur le plan émotionnel. Il nourrit une mauvaise opinion de lui-même et quand il humilie quelqu'un ou l'amène à lui obéir, son ego se porte mieux. C'est ainsi qu'il se transforme progressivement en véritable tyran pour répondre à sa propre faiblesse émotionnelle. La réaction du conjoint aux accusations du faucon dépend de son propre modèle émotionnel. S'il éprouve lui-même des problèmes d'estime personnelle, il pourrait croire le faucon et assimiler ses propos à la vérité. Si, par contre, il possède une bonne opinion et une image positive de lui-même, il peut se rebiffer et leur relation sera finalement caractérisée par d'incessants conflits.

Patrick n'avait jamais réussi à conserver un emploi stable. Avant le mariage, il multipliait déjà les petits boulots à temps partiel, sans jamais les garder plus de six mois. Il ne possédait pas de voiture quand il s'est marié et il vivait encore chez ses parents. Après le mariage, il a rendu sa femme responsable de tout et de n'importe quoi. C'était de sa faute s'il tombait en panne d'essence dans la voiture qu'elle possédait quand ils se sont mariés. C'était de sa faute si la compagnie d'électricité coupait le courant quand la facture n'était pas payée et c'était de sa faute si la lessive n'était pas faite alors qu'il n'y avait aucune laverie à proximité de leur domicile et qu'il monopolisait la voiture tout le samedi. « Elle aurait dû aller à pied à la laverie », décrétait-il.

Pendant des années, sa femme, Fabienne, qui souffrait d'une mauvaise estime personnelle, a hésité entre les deux réactions possibles. Elle acceptait ses accusations un temps puis, quand l'amertume devenait trop profonde, elle le quittait pendant trois ou quatre semaines. Quand la solitude finissait par la submerger, elle revenait, et le cycle recommençait. De toute évidence, il y avait peu d'intimité dans leur mariage. Des relations sexuelles ? Oui, de temps en temps. Une véritable intimité ? Non.

Il est évident que l'un des conjoints ne peut avoir constamment tort, tandis que l'autre aurait toujours raison. Les faits ne revêtent pas la moindre importance dans ce modèle de communication. Les faucons attendent rarement une réponse à leurs reproches. Ce qui compte à leurs yeux n'est pas ce que pense l'autre, mais bien leur propre opinion. Leur attitude rappelle le verset 2 de Proverbes 18 : « Ce qui intéresse le sot n'est pas de comprendre, mais de faire étalage de ses propres pensées. »

Le hibou : « Soyons raisonnables. »
Le hibou est calme, détendu et maître de lui. Il ne manifeste aucune émotion, il trouve les bons mots et reste impassible face au désaccord de son conjoint. Il ressemble davantage à un ordinateur qu'à un être humain. Le hibou apporte une réponse logique à toute question soulevée. Il vous explique calmement l'origine de vos moindres doutes. Il présente son propos de manière si raisonnable que vous finissez par vous demander comment vous avez jamais pu nourrir une opinion différente. Un hibou se juge généralement raisonnable et intelligent. Il s'enorgueillit de sa maîtrise de soi et, quand son interlocuteur laisse exploser ses émotions, il s'assied calmement jusqu'à ce que l'orage passe, puis poursuit son raisonnement.

Une épouse m'a confié : « Mon mari me rend folle à force d'être si raisonnable. Il consacre des heures à m'expliquer certaines choses comme si j'étais une enfant de deux ans, totalement ignorante. Il ne s'énerve jamais. Il me laisse parler, mais il n'entend rien. Par conséquent, la plupart du temps, je préfère me taire. Cela ne sert à rien. » Pensez-vous que cette femme pourra rester attirée par son mari ? Qui a envie de faire l'amour à un ordinateur ? Ce mode de communication n'engendre aucune intimité.

La motivation intérieure du hibou varie d'un individu à l'autre, mais il se sent généralement vulnérable. Ses efforts pour se montrer raisonnable à l'extrême visent avant tout à se persuader de sa propre valeur et de ses capacités intellectuelles. Son attitude sert à compenser un manque de confiance en soi. S'il peut contrôler ses sentiments, s'il peut convaincre à force d'arguments, il se sent rassuré sur le plan émotionnel. Ainsi, ce modèle remplit pour lui une fonction émotionnelle, mais nuit gravement à la relation conjugale.

L'autruche : « Laisse couler. »

Le mode de communication de l'autruche consiste fondamentalement à ignorer les actes et les remarques de l'autre, en particulier si elle les trouve désagréables. L'autruche répond rarement aux propos de son interlocuteur. Elle ne répond pas par la négative, non, elle ne répond rien. Elle change de sujet et passe à autre chose, qui ne présente généralement pas le moindre rapport avec la question soulevée par son conjoint. L'autruche est toujours en mouvement. Si elle est de nature bavarde, elle parlera sans cesse de tout et de rien. Si elle est active plutôt que bavarde, elle sera constamment accaparée par diverses occupations, généralement sans aucun rapport entre elles. Si vous lui demandez ce qu'elle est en train de faire, vous n'obtiendrez pas de réponse directe parce qu'elle ne sait pas vraiment dans quel cadre peut s'inscrire son activité présente.

Dans la conversation, l'autruche pratique souvent l'improvisation. Son intonation contraste avec ses propos. Si vous l'interrompez pour apporter vos commentaires, elle recommencera à parler sans établir le moindre lien avec vos propos ou avec ce qu'elle disait avant votre intervention. Sa conversation part dans toutes les directions et aboutit rarement à une quelconque conclusion.

Un mari m'a décrit sa femme en ces termes : « Je ne parviens pas à entretenir une conversation avec elle. Elle parle sans arrêt, sans rien dire en particulier. Si j'essaie de réagir à ce qu'elle vient de dire ou de poser une question, elle m'ignore ou répond par une autre question, sans aucun rapport avec ce que je lui ai demandé. Il m'est impossible de discuter du moindre problème avec elle parce qu'elle s'éloigne du sujet constamment. Elle est capable de courir dix lièvres à la fois dans une seule conversation, sans jamais revenir au sujet initial. » Pouvez-vous deviner la frustration de ce mari ? Il ignore au fond de lui si elle refuse simplement de lui parler ou si elle en est incapable. Dans un cas comme dans l'autre, ils ne connaissent aucune intimité.

Globalement, les individus qui adoptent le modèle de

l'autruche se considèrent comme « inadaptés ». Il n'y a pas de place pour eux dans le monde. Cette vision d'eux-mêmes a généralement pris forme pendant l'enfance et ne les a pas quittés dans leurs relations d'adultes. Leur discours et leur comportement reflètent simplement cette perception intérieure. Il est évident qu'un tel modèle nuit au développement d'une relation conjugale intime.

Parfois, l'autruche refuse d'admettre ou d'aborder les problèmes parce qu'elle redoute les disputes. Les conflits sont extrêmement déstabilisants pour elle. Elle souhaite donc les éviter à tout prix. L'autruche est sincèrement convaincue que si elle ignore le problème, il finira par disparaître. Elle ne comprend pas qu'il ne s'efface jamais, mais subsiste et entrave l'intimité conjugale.

Les quatre modes de communication que nous venons de décrire sont très négatifs pour l'intimité conjugale. Ils nuisent à l'intimité intellectuelle, émotionnelle, sociale, spirituelle et physique du mariage. Malheureusement, au lieu de tenter de trouver des réponses à ces mécanismes, beaucoup de chrétiens les justifient bibliquement.

Ainsi, la colombe évoque des versets tels que Romains 12.18 : « S'il est possible, et dans la mesure où cela dépend de vous, vivez en paix avec tous les hommes », ou 1 Corinthiens 13.5 qui indique que l'amour « n'est pas égoïste, il ne s'irrite pas, il n'éprouve pas de rancune. »

Le faucon sera attiré par les Psaumes qui implorent Dieu d'exterminer nos ennemis et aussi par les passages du Nouveau Testament dans lesquels Jésus renverse les tables des changeurs d'argent (Matthieu 21.12-13). Le hibou citera Ésaïe 1.18 : « Venez donc, dit le Seigneur, nous allons nous expliquer. » L'autruche suivra le raisonnement de Jonas, qui dit à Dieu : « Ah, Seigneur, voilà bien ce que je craignais lorsque j'étais encore dans mon pays et c'est pourquoi je me suis dépêché de fuir vers Tarsis. Je savais que tu es un Dieu bienveillant et compatissant, patient et d'une immense bonté, toujours prêt à renoncer à tes menaces. » (Jonas 4.2) Sa conclusion ?

« J'aurais mieux fait de rester chez moi ! » L'autruche en conclut que tout finira forcément par s'arranger. Dès lors, pourquoi s'inquiéter ? L'utilisation des textes bibliques pour justifier nos fonctionnements négatifs me rappelle la mise en garde de Pierre sur le fait de déformer les Écritures pour satisfaire nos propres besoins (2 Pierre 3.16).

Instaurer des modes sains

Comment un couple peut-il s'y prendre pour corriger ses réflexes néfastes ? Voyez ces quelques idées. Il est d'abord nécessaire d'identifier le mécanisme en question. Nous ne pouvons manifestement pas modifier une mauvaise habitude avant d'en avoir pris conscience. Comme je l'ai suggéré précédemment, efforcez-vous de reconnaître les modèles appliqués par vos parents, puis voyez s'ils sont également présents dans votre propre union.

Ensuite, reconnaissez qu'ils portent préjudice à votre intimité conjugale. Tenez-vous devant le miroir et dites : « Je suis un hibou. Voici comment je communique avec mon conjoint et ce comportement nuit à notre intimité conjugale. » En l'admettant à haute voix, vous éprouverez moins de difficultés à le reconnaître devant votre mari ou votre femme.

Prenez la résolution de modifier vos réflexes. La plupart des changements positifs dans notre vie se produisent parce que nous en avons pris la décision. Dieu nous a donné un pouvoir considérable en nous dotant d'une volonté propre. La Bible insiste lourdement sur le libre arbitre de l'être humain. Communiquer sainement est principalement une question de choix. Quand vous déciderez de modifier un modèle malsain, vous bénéficierez de l'aide du Saint-Esprit, car il est présent constamment pour nous donner la capacité de briser nos habitudes nuisibles.

Remplacez les anciens modèles par de nouveaux. C'était précisément le propos de Paul lorsqu'il évoquait le fait de nous débarrasser de notre vieil homme (Éphésiens 4.22-24). Dans les pages suivantes, vous découvrirez de nombreux modes de communication positifs. Intégrez-les dans la trame de votre mariage et vous éprouverez plus de facilité à briser les réflexes destructeurs du passé.

Reconnaissez votre faiblesse s'il vous arrive de retomber dans vos anciennes habitudes. Aucun mode de communication ne peut être modifié du jour au lendemain. Vous rechuterez forcément, mais une rechute ne signifie pas un échec ; elle s'inscrit dans le processus de changement de tout réflexe acquis.

Il vous sera utile de faire souvent le point avec votre conjoint. Cherchez à obtenir de lui un avis franc et honnête. Les habitudes sont tenaces par nature. Il est nécessaire de discuter régulièrement de vos progrès respectifs. La question : « Sois franc (franche) avec moi. Suis-je retombé(e) dans mes anciens travers cette semaine ? » permet à votre conjoint de se montrer honnête. S'ils se déroulent dans l'amour et la sollicitude, ces petits contrôles se révéleront extrêmement précieux.

↳

Vous n'avez pas à perpétuer les modes de communication malsains hérités de vos parents et entretenus par votre propre personnalité. Avec l'aide de Dieu, vous pouvez « ôter » votre vieille nature et « revêtir » de nouveaux modes d'expression et d'écoute efficaces. Efforçons-nous maintenant de comprendre la dynamique d'une communication saine. Nous commencerons par examiner les cinq niveaux de la communication.

Chapitre 7

Les cinq niveaux de la communication

S'il est nécessaire d'identifier la manière dont nous communiquons, il est également utile de comprendre qu'il existe plusieurs paliers de communication. Tous les échanges ne revêtent pas forcément la même valeur. Certains niveaux favorisent davantage l'intimité. Nous communiquons tous aux cinq niveaux, mais dans le cadre de la relation conjugale, il nous faut passer plus de temps aux paliers supérieurs. Dans ce chapitre, nous décrirons les cinq niveaux de communication pour que vous puissiez identifier où vous vous situez dans le cadre de vos conversations. Fort de cette information, vous pourrez augmenter l'intensité de votre communication avec votre conjoint et donc renforcer l'intimité de votre couple. Imaginez ces cinq niveaux sous la forme de cinq échelons ascendants, menant à une vaste plate-forme où la communication est totalement libre et ouverte.

1. La conversation de couloir : « Très bien. Et vous ? »

Le niveau 1 correspond aux échanges informels que l'on a dans les couloirs du bureau ou de l'immeuble. Un jour, en longeant l'un des couloirs de mon église, je remarquai le concierge au travail à quelques mètres. Je n'avais encore rien dit alors que j'approchais de lui, mais quand je suis arrivé pratiquement à sa hauteur, il a levé la tête et il a dit : « Très bien. Et vous ? » J'ai répondu : « Très bien » et j'ai poursuivi mon chemin. Je n'avais pas du tout initié notre échange. Je n'avais pas demandé : « Comment allez-vous ? » Sa réponse était à ce point machinale que la seule proximité d'une autre personne suffisait à la déclencher. De toute évidence, ce niveau de communication est creux et, pourtant, nous l'empruntons tous abondamment. Si le couloir est long, vous pourriez même déclencher une demi-douzaine de « Très bien. Et vous ? » avant d'atteindre l'ascenseur !

Le niveau 1 concerne le champ de la conversation superficielle : ces propos polis et aimables, ces formules conventionnelles que nous nous adressons au fil de la journée. Nous connaissons par cœur toutes ces expressions pour les avoir déjà prononcées maintes fois par le passé et nous les répéterons encore à l'avenir. Elles s'inscrivent dans notre environnement culturel depuis l'enfance. Nous nous attardons peu, voire pas du tout, sur le sens des mots utilisés dans ce cadre. Nos propos sont généralement sincères, mais le fait est qu'en règle générale, nous ne pensons pas à ce que nous disons à ce niveau. « Bonne journée », « Prends soin de toi », « Fais attention », « A plus tard », « Bonne nuit » ou « Porte-toi bien ». Ces expressions, et des dizaines d'autres répétées chaque jour, appartiennent au niveau de communication de base.

Les remarques de ce type ne sont pas complètement dépourvues d'intérêt, car elles sont positives et attestent la présence de l'autre personne. Si vous en doutez, supprimez-les et voyez quelle réaction vous obtenez. Ou, pire encore, remplacez-les par des formules négatives ! Par exemple, au lieu de dire « Sois prudent », dites : « J'espère que tu te briseras le cou sur le chemin du travail. » Observez l'impact de vos propos sur le comportement de votre conjoint... Ces expressions positives ne sont donc pas dénuées de valeur. Pour certains couples, ce premier niveau de communication représenterait déjà une amélioration, car ces conjoints-là se croisent chaque jour sans rien se dire. Même un « Bonjour » leur serait bénéfique.

Une bonne partie de nos échanges dans un contexte public se situent à ce premier échelon. Bernard rejoint Nathan et lui dit : « Cela me fait plaisir de te voir, Nathan. Comment vas-tu ? » Et Nathan répond : « Très bien. Et la famille ? » Bernard poursuit : « Super, merci. Et chez toi ? » Nathan enchaîne : « Très bien. Tout le monde va bien. » En réalité, la femme de Nathan souffre d'une bronchite depuis trois semaines et, cinq jours auparavant, ils ont appris que leur fille cadette était dyslexique. La mère de Bernard est décédée un mois plus tôt et son épouse lui a décrété la veille que si rien ne changeait entre eux, elle le quitterait. Toutefois, ni Bernard ni Nathan ne se sont sentis libres de partager leurs problèmes ou peut-être n'est-ce ni le moment ni le lieu. Après tout, la seule réponse que tout le monde attend à la question « Comment vas-tu ? » est « Très bien. Et toi ? »

Certains ne dépassent jamais ce premier degré de communication. Il y a plusieurs années, une jeune femme dont le mari est pilote me confiait, excédée : « Mon mari est absent trois jours par semaine et présent à la maison le reste du temps. Son horaire de travail est ainsi réglé. Il revient donc après trois jours d'absence et je lui dis : "Comment cela s'est-il passé, mon chéri ?" Il répond : "Super." Trois jours sans le voir et tout ce que j'obtiens, c'est "Super" ! » Il résumait trois jours de séparation par un seul mot, ce qui ne suffisait pas à son épouse pour se sentir proche de lui. Certains couples passent plusieurs jours sans dépasser ce premier niveau. Le manque d'intimité dont souffre leur relation ne devrait dès lors pas les surprendre.

2. Le discours du journaliste : « Les faits et rien que les faits. »

La conversation de niveau 2 porte uniquement sur les faits : qui, quoi, quand et où. Il s'agit de raconter ce que vous avez vu et entendu, quand et où, sans partager du tout votre avis sur les événements. Par exemple, une femme dit à son mari : « J'ai parlé à Myriam ce matin, et elle m'a dit que Paul était malade depuis six jours. Le médecin lui conseille de se rendre à l'hôpital vendredi pour effectuer des tests. » Son mari répond :

« Mmm... » L'épouse poursuit : « Myriam a dit qu'il souffrait de douleurs dans le bas du dos et, après avoir passé six jours au lit, il ne se sent pas mieux. » Et le mari répond : « Mmm... » Alors la femme poursuit le compte rendu des faits ou change de sujet, ou peut-être le mari change-t-il lui-même de sujet et demande : « Avez-vous retrouvé le chien ? » Et la femme répond : « Oui. L'un des voisins l'avait enfermé dans son garage et ignorait qu'il nous appartenait. Le petit l'a entendu aboyer cet après-midi et il est allé le libérer. » Puis le mari se rend au jardin pour tondre la pelouse.

A ce niveau de communication, nous partageons simplement des informations factuelles, sans rien exposer de nous-mêmes ni rien demander à l'autre. Nous n'exprimons ni nos pensées ni nos sentiments en réaction à l'information reçue.

Le discours du journaliste peut porter sur de vastes domaines de la vie : l'heure à laquelle commence le concert, le jour de mon rendez-vous chez le dentiste, le montant du devis remis par le plombier, l'adresse du restaurant où nous fêterons l'anniversaire de ma belle-mère, l'heure à laquelle Matthieu rentrera du lycée. Voilà le genre d'informations échangées au niveau 2.

Une fois encore, ce degré de communication n'est pas dénué d'intérêt. Une bonne partie de l'existence dépend de ce genre de détails. Combien de conjoints ont atterri dans des restaurants différents à cause du manque de clarté de leurs échanges à ce niveau ! Il m'est une fois arrivé de me rendre dans la mauvaise église pour célébrer un mariage parce que je n'avais pas vérifié mes informations. Quand j'ai enfin pénétré dans la bonne église, l'organiste avait déjà joué tout son programme à deux reprises et les invités se demandaient si le marié n'avait pas changé d'avis !

L'information factuelle est importante. Sans elle, la vie serait difficile. Le problème, c'est que très nombreux couples dépassent rarement ce niveau. Ils se contentent de partager les faits nécessaires à leur train-train quotidien, mais leur relation ne va pas plus loin. Certains conjoints communiquent régulièrement au niveau 2, en pensant sincèrement jouir d'une bonne communication. En réalité, le degré d'intimité intellectuelle, émotionnelle, spirituelle ou physique développé à ce stade reste très limité.

3. Le discours intellectuel : « Tu sais ce que je pense ? »

Le niveau 3 dépasse le partage des informations factuelles. Il s'agit ici de transmettre son opinion, son interprétation ou son jugement sur telle question. Nous laissons donc notre interlocuteur entrevoir notre façon de traiter les données reçues. Voici le type d'affirmations échangées au niveau 3 : « Je pense que nous devrions acheter un bateau avec l'argent récupéré des impôts », « Je pense que l'église devrait donner plus d'argent aux missions étrangères », « J'aimerais que nous puissions bientôt passer un week-end seuls dans les montagnes », « Si Raphaël n'obtient pas de meilleures notes, je ne pense pas que nous devrions lui offrir ce vélo. » Ces paroles révèlent manifestement un degré de communication supérieur.

Comment la conversation sur la maladie de Paul pourrait-elle passer du niveau 2 au niveau 3 ? Le mari pourrait répondre : « Tu sais ce que je pense ? Je pense que Paul devrait consulter un kiné. Tu te rappelles l'année dernière quand j'ai eu ce problème au dos et que le médecin m'a dit que je devais rester en traction pendant trois jours à l'hôpital ? Je suis allé chez le kiné et il lui a suffi d'une demi-heure pour me soigner. Je pense vraiment que Paul devrait voir un kiné. »

Par ces mots, le mari livre son avis. Sur la base de son expérience passée, il partage avec sa femme son opinion sur l'état de Paul. Si sa femme répond : « Je ne suis pas sûre que ce soit la solution dans son cas. Rappelle-toi Jean-François. Il a consulté un kiné pendant six mois et son état n'a fait qu'empirer. » Ainsi, elle gravit, elle aussi, un échelon supplémentaire sur l'échelle de la communication, en partageant à son tour ses idées et son avis sur le sujet.

La probabilité de conflit ou de divergence est manifestement beaucoup plus élevée au palier 3 qu'au palier 1 ou 2. Si le mari nourrit peu d'estime personnelle, s'il n'est pas sûr de lui d'un point de vue émotionnel, il pourrait mettre un terme à la conversation à ce stade parce qu'il ne désire pas réagir à l'avis contraire de sa femme. S'il possède une personnalité différente, il peut poursuivre la discussion par un exposé enflammé sur les vertus de la kinésithérapie.

Les interlocuteurs qui s'expriment à ce niveau attendent généralement une réponse. En cas de réaction positive à leurs idées, ils continuent à parler et à poser des questions. Si on leur répond négativement par des paroles ou des expressions du visage (froncement ou haussement de sourcils, plissement des yeux, bâillement), ils mettront peut-être rapidement un terme à la conversation et se rabattront sur un sujet plus sûr. Certains conjoints passent peu de temps au niveau 3 parce qu'ils n'aiment pas voir leurs idées remises en question ou contestées. Ils se sentent menacés émotionnellement et battent donc en retraite vers les degrés 1 ou 2. Ils peuvent très bien ne jamais atteindre le niveau 4.

Il est indispensable pour le développement de la communication que chacun accorde à l'autre la liberté de penser différemment. Un couple ne doit pas nécessairement être d'accord sur tous les sujets. Il est parfaitement légitime pour un mari d'apprécier la kinésithérapie et pour sa femme de nourrir un autre point de vue. De telles divergences ne doivent pas affecter leur intimité. Mais si l'un des deux tente de contraindre l'autre à adopter son point de vue, une dispute commence ou le silence s'installe et l'intimité s'évanouit.

4. Le discours émotionnel : « Je vais te dire ce que je ressens. »

Au niveau 4, nous partageons nos émotions et nos sentiments. « Je me sens blessée, déçue, furieuse, heureuse, triste, surexcitée, lasse, mal aimée, d'humeur romantique ou seule. » Ce sont là des formules typiquement employées à ce niveau. La plupart des gens éprouvent plus de difficultés à partager leurs sentiments que leurs pensées, car nos sentiments appartiennent davantage à notre vie privée. Au milieu d'un groupe, nous donnons souvent notre avis librement, sans pour autant révéler ce que nous éprouvons. Les pensées servent même souvent à dissimuler nos sentiments. Ainsi, le mari peut dire à sa femme : « J'ai trouvé le sermon du pasteur trop long. » Il en veut peut-être secrètement au pasteur parce que son message a éveillé sa culpabilité par rapport à ses manquements. Sa remarque se concentre sur le temps, alors que ses émotions ne sont pas liées à la durée du sermon, mais bien à son contenu.

La distance entre les paliers 3 et 4 peut s'avérer gigantesque. Si je partage des sentiments que mon interlocuteur n'apprécie pas, il peut se sentir blessé ou déçu, voire furieux à mon encontre. Je pourrais ensuite éprouver de grandes difficultés à affronter son rejet ou sa colère et j'hésiterai donc à me confier encore. Nous risquons plus gros en communiquant à ce niveau, mais nous y trouvons aussi le potentiel d'atteindre un degré d'intimité supérieur.

Ce sont mes sentiments qui reflètent le plus clairement le caractère unique de ma personnalité. Personne n'éprouve exactement la même chose que moi à l'égard d'un sujet précis. Si nous parvenons à la même conclusion, nous ne partageons peut-être pas pour autant les mêmes sentiments. Par exemple, un mari et une femme peuvent convenir de fréquenter une même association. Même s'ils sont tous deux complètement favorables à ce projet, leurs sentiments différeront en fonction de leur parcours personnel respectif. Le mari pourrait penser sans l'ombre d'un doute qu'il s'agit de la meilleure décision, tout en craignant intérieurement la réaction de sa mère ou en luttant contre l'impression de trahir son grand-père, jadis fervent défenseur d'une association « concurrente ». Il peut aussi se demander comment réagira son patron, également membre de cette association concurrente. Il peut espérer passer complètement inaperçu et rester assis en paix sur sa chaise pendant toute l'année qui vient. De son côté, sa femme nourrira d'autres sentiments en fonction de sa propre histoire et de sa propre personnalité. Nous sommes tous des individus uniques. En livrant nos sentiments, nous livrons une part de nous-mêmes. Ainsi, dans le mariage, la communication sur ce palier nous donne la possibilité de renforcer notre intimité conjugale.

Beaucoup de conjoints communiquent rarement à ce niveau parce qu'ils craignent d'être rejetés. Une épouse confie à son mari : « Je me sens vraiment déprimée depuis quelques jours. » Si le mari répond : « Déprimée ? Comment peux-tu te sentir déprimée alors que tu as tout pour être heureuse ? » il est très probable que la conversation s'arrête là et que la femme hésite à se confier à l'avenir. Or, si nous réprimons nos sentiments, notre conjoint en est réduit à deviner nos états d'âme.

Il nous arrive souvent de mal interpréter nos propos respectifs et de provoquer ainsi des malentendus. Dans la conversation sur le kiné, imaginons que le mari dise à sa femme : « Tu sais, chérie, je commence à croire que, quel que soit mon avis sur un sujet, tu choisis systématiquement de dire le contraire. Si je crois à l'efficacité de la kinésithérapie, tu vas détester les kinés. Si je pense qu'assister aux réunions de parents d'élèves est une perte de temps, tu seras convaincue que la démarche est formidable. J'ai en réalité l'impression que tu ne m'apprécies pas et que c'est là ta façon de me le montrer. Etre en désaccord avec tout ce que je dis, c'est ta façon à toi de me dire que tu ne m'aimes pas. »

Après une déclaration aussi franche et en fonction de sa personnalité, l'épouse peut immédiatement se mettre sur la défensive, éclater en sanglots et se renfermer sur elle-même, ou exprimer verbalement sa colère en décrétant combien il est stupide. Elle peut aussi réagir sainement en disant : « Je suis désolée de l'apprendre. Je n'avais aucune idée de ce que tu ressentais. Dis-m'en plus. » Elle lui donne ainsi l'occasion de se confier davantage, ce qui lui permettra à son tour de s'exprimer ouvertement sur ses propres sentiments. Si l'approche est saine, les conjoints se sentiront plus proches après leur entretien. En cas de réaction négative, l'échange régressera probablement vers le niveau 2 ou 3.

Pour stimuler la communication, nous devons accepter d'éprouver des sentiments divergents, même sur un sujet identique. Une personne peut se sentir encouragée par un sermon et une autre condamnée. Nous devons nous accorder mutuellement la liberté de réagir différemment et écouter avec compassion notre conjoint partager ses sentiments. Si nous parvenons à développer ce climat d'acceptation, nous passerons de plus en plus de temps sur ce palier de communication supérieur et notre intimité grandira.

5. Le discours de la vérité, dans l'amour et la sincérité : « Soyons honnêtes. »

A ce stade, nous sommes à l'apogée de la communication, car nous pouvons dire la vérité dans l'amour. Nous sommes francs sans condamner et ouverts sans rien imposer. Chacun jouit de la liberté de penser et de réagir différemment. Au lieu de nous condamner mutuellement, nous cherchons à comprendre les pensées et les sentiments de notre conjoint, et nous cherchons le moyen de grandir ensemble malgré nos différences.

En dépit des apparences, je tiens à préciser que ce niveau n'est pas facile à atteindre, mais qu'il n'en est pas pour autant inaccessible. Il est vrai que la majorité des couples ne parviennent jamais à ce degré de partage, mais un nombre croissant d'entre eux découvrent, avec l'aide de Dieu, que ce type de communication ouverte et tendre débouche sur un profond sentiment de complicité et d'intimité dans le mariage. L'exigence incontournable de ce palier consiste en une attitude d'acceptation. Nous désirons créer une atmosphère dans laquelle nous nous sentons tous deux libres de partager franchement nos pensées et nos émotions, sans crainte, sachant que notre conjoint cherchera à comprendre, même s'il n'est pas d'accord avec nous. Nous croyons progressivement et sincèrement qu'il désire le meilleur pour nous. Si nous demandons de l'aide, il cherchera à nous en apporter, sans exiger que nous partagions pour autant son avis ou ses sentiments.

Certains couples peuvent se demander : « Est-il souhaitable de partager tous ses états d'âme avec son partenaire ? » La réponse est non. Il y a quelques années, la psychologie insistait lourdement sur la franchise absolue et encourageait les conjoints à livrer leur moindre pensée et leur moindre émotion, dans l'idée qu'ils renforceraient ainsi leur intimité. Cette école de pensée n'a pas vécu longtemps et a ruiné de nombreux mariages.

Le fait est qu'il nous arrive à tous d'entretenir de temps en temps des pensées ou des sentiments complètement fous et passagers. Quel est le mari qui n'a jamais songé à s'enfuir pour se perdre dans la foule ? Quelle est la femme qui n'a jamais fait de même ? Certains fantasmes sont tellement insensés ou mauvais qu'ils ne méritent pas d'être partagés.

Je me rappelle avoir conseillé un jeune couple il y a plusieurs années. Convaincu par cette théorie de l'honnêteté absolue, le mari était rentré à la maison et avait avoué à sa femme : « Je suis allé au restaurant aujourd'hui et j'ai rencontré une serveuse avec laquelle j'ai fait mes études et, pour être franc, j'ai eu envie de sortir avec elle. » Consternée que son mari puisse nourrir ce genre d'idée trois mois à peine après leur mariage, l'épouse en avait conclu qu'il ne pouvait pas éprouver de telles envies et l'aimer encore. Il eut beau lui répéter qu'il s'agissait d'une pensée fugace et que cette serveuse ne signifiait absolument rien pour lui, il ne put dissiper les craintes de sa femme et, quelques mois plus tard, le couple se séparait.

Des pensées de ce type ne devraient être confiées qu'à Dieu. Dans 2 Corinthiens 10.5, Paul dit que nous devons faire « prisonnière toute pensée pour l'amener à obéir au Christ ». La réaction adéquate consiste alors à se confesser à Dieu, puis à continuer d'affronter la vie positivement avec son aide. Il est souvent catastrophique de se livrer de la sorte à son conjoint. D'un autre côté, nourrir secrètement ce genre de fantasme se révèle tout aussi dévastateur pour le mariage. Mieux vaut suivre le modèle biblique et soumettre ces pensées et ces sentiments à l'autorité de Dieu, se détourner d'eux s'ils sont mauvais et remercier Dieu de nous préserver de tomber sous leur emprise.

♄

En prenant conscience des cinq niveaux de la communication, vous verrez se dégager un potentiel qui vous permettra d'améliorer la qualité de votre communication de couple. En poursuivant votre lecture, j'espère que vous gravirez les échelons ensemble et passerez plus de temps sur la plate-forme de la vérité, dans l'amour et la sincérité. La progression ne sera peut-être pas constante. Vous ferez peut-être deux pas en avant puis un pas en arrière. Mais en vous exprimant davantage, vous goûterez à la communication sur les cinq niveaux et reconnaîtrez leur intérêt respectif. En passant plus de temps sur les paliers supérieurs, vous vivrez une intimité plus profonde. Le reste de ce livre est consacré au développement des aptitudes qui permettent une communication plus efficace et une intimité plus profonde.

Dans les deux prochains chapitres, nous nous concentrerons sur la compréhension de soi. En effet, il est nécessaire de se connaître soi-même avant de pouvoir se confier à son conjoint.

Chapitre 8

Apprendre à se connaître soi-même : nos expériences et leur signification

L'une des caractéristiques les plus époustouflantes de notre humanité est notre unicité. Nous possédons des empreintes digitales, labiales et même vocales uniques. Nous nous distinguons également par notre manière d'interpréter la vie. Supposons que deux personnes se tiennent devant des gorges majestueuses. L'une s'extasie, bouche bée, devant la beauté des formes et des couleurs, tandis que l'autre s'étonne : « Je ne comprends pas pourquoi tu tenais tant à m'emmener ici ; ce n'est jamais qu'un gigantesque trou ! » Comme les flocons de neige, tous distincts les uns des autres, chaque individu diffère à maints égards de tous les autres, même s'il partage avec nombre d'entre eux la même culture, la même langue et des expériences communes.

Dans quelle mesure connaissez-vous la personne unique que vous êtes ? Les Écritures indiquent que Dieu vous connaît intimement. Le psalmiste a dit à Dieu : « C'est toi qui as créé ma personnalité, qui m'as tissé dans le ventre de ma mère. Seigneur, merci d'avoir fait de mon corps une aussi grande merveille. Ce que tu réalises est prodigieux, j'en ai bien conscience.» (Psaumes 139.13-14) Vous avez été façonné par Dieu à son «image». Or, comme le disait souvent Ethel Waters, célèbre chanteuse de gospel : «Dieu ne fabrique pas de la camelote.» Quel que soit votre passé, quoi qu'on ait pu vous dire, la vérité est que vous êtes extrêmement précieux.

Les Écritures enseignent aussi qu'en tant que chrétien, vous avez reçu de Dieu des dons particuliers et qu'il vous a placé dans son corps, l'Église, pour y assurer une fonction vitale (cf. 1 Corinthiens 12.12-27). En tant que membre de son corps, vous seul pouvez remplir le rôle qu'il vous a attribué. Personne d'autre ne peut apporter à votre place votre contribution unique. Les Écritures affirment également que «même vos cheveux sont tous comptés» (Matthieu 10.30) et que Dieu connaît tout de vous (cf. Psaumes 139.1-3 ; Jérémie 1.4-5). Si Dieu a pris la peine de vous connaître si parfaitement et si vous êtes si précieux à ses yeux, ne pensez-vous pas que vous devriez faire plus ample connaissance avec vous-même ?

Certains répugnent à étudier leur personnalité, craignant de ne pas aimer ce qu'ils découvriront. Nous avons été créés à l'image de Dieu, mais nous n'en restons pas moins des créatures déchues. Il est donc possible de mettre à jour des facettes de nous qui nous déplaisent. La bonne nouvelle est que tous les éléments importants de notre vie sont modifiables et peuvent être corrigés. Cette évolution est justement le thème central de la Bible, car Dieu s'efforce de permettre à tous ses enfants d'atteindre le potentiel pour lequel il les a créés. Sachant cela, nous devrions accepter de courir le risque de mieux nous connaître.

Dans ce chapitre et le suivant, nous étudierons cinq aspects de la compréhension de soi, à savoir nos expériences, nos interprétations, nos émotions, nos désirs et nos comportements. Ces cinq aspects interagissent constamment. Nous les examinerons successivement, mais dans la réalité, ils ne se manifestent pas en ordre séquentiel et il est impossible de les dissocier. Leur interaction constante nous révèle qui nous sommes à ce moment de notre vie.

Nous expérimentons la vie à travers nos cinq sens

A quoi ressemblerait l'existence si nous étions privés de nos cinq sens, si nous ne pouvions ni voir, ni entendre, ni goûter, ni sentir, ni toucher ? Il va de soi que notre vécu dépasse ce que nous percevons au moyen de nos sens, mais il est difficile d'imaginer vivre sans la vue, l'ouïe, le goût, l'odorat et le toucher. Même notre connaissance et notre expérience de Dieu sont forgées en grande partie à travers ces sens. La vie de l'âme humaine ne dépend pas des perceptions sensorielles, mais elle s'en nourrit.

Nous voyons, entendons, goûtons, sentons et touchons constamment notre monde environnant. La plupart d'entre nous n'y pensent même pas et accordent peu d'attention au processus sensoriel avant d'être totalement ou partiellement privés de l'un de leurs sens. Ils prennent alors douloureusement conscience de ce qui leur paraissait acquis.

Mieux comprendre l'action de nos sens nous aide à mieux apprécier ce don de Dieu. Nous pouvons tous développer cette conscience de nous-mêmes en nous concentrant sur les informations transmises par nos cinq sens. Ainsi, alors que vous lisez ces lignes, concentrez-vous et demandez-vous : « Que puis-je voir en ce moment si je regarde autour de moi et que j'observe tous les phénomènes présents dans mon champ de vision ? » Arrêtez-vous un instant et écoutez les sons qui vous entourent ou repérez ce que vous pouvez toucher de la main depuis l'endroit où vous êtes assis. Si vous grignotez en lisant, que goûtez-vous ? Est-ce amer, doux, salé, sucré ? Et votre odorat, quel parfum distingue-t-il dans l'air ambiant ? Nul besoin de se concentrer énormément pour améliorer considérablement sa propre conscience du monde alentour.

Lors d'une excursion en haute montagne, mon fils et moi marchions sur un chemin rocailleux. Je découvrais alors quelques formations montagneuses jamais vues auparavant et pouvais toucher la neige encore présente sous le soleil de juillet. J'inspirais à pleins poumons le parfum de fleurs éclatantes, nichées au creux des rochers, et j'entendais le sifflement du vent déchiré par les sommets. Je vivais une expérience sensorielle.

Assis derrière mon bureau pour rédiger ce chapitre, je suis loin de ce moment, mais ces sensations font désormais partie de moi et je les partage avec vous. L'existence est remplie d'expériences semblables. Elles constituent la matière première de la vie. Plus nous faisons usage de nos sens, plus nous expérimentons la vie.

Nous pouvons apprendre à devenir plus attentifs à nos sens et donc à plus goûter de la vie. Les individus ayant perdu de leurs capacités sensorielles, les aveugles par exemple, compensent généralement en développant davantage d'autres sens. Ainsi, nombre d'entre eux possèdent un sens du toucher beaucoup plus développé que les personnes voyantes.

L'expérience mène à l'interprétation

Ce que nous appréhendons à travers nos cinq sens, nous l'interprétons. Nous sommes des êtres pensants ; nous donnons un sens à ce que nous vivons. Notre interprétation des expériences de la vie est influencée par notre vécu passé, notre état d'esprit actuel et notre vision de l'avenir, ce qui explique pourquoi votre conjoint et vous interprétez un même fait différemment. Par exemple, vous voyez tous deux une femme adulte célibataire participer à un séminaire pour couples. L'une d'entre vous pense : « Elle est venue pour voler le mari d'une autre. » L'autre interprète : « C'est super qu'elle se sente assez sûre d'elle pour se mêler à des couples mariés sans se sentir exclue. »

Les individus interprètent presque toujours différemment une même information. Deux hommes remarquent qu'une femme leur sourit. L'un se dit : « Je lui plais. » L'autre pense : « Elle se moque de moi, elle me trouve bizarre. » Qui sait lequel a raison ? Seule la femme qui sourit. Tous deux se trompent peut-être, mais chacun réagira très probablement en fonction de sa propre interprétation.

Notre interprétation des expériences sensorielles influence énormément à la fois nos émotions et notre comportement. Ainsi, supposons que vous vous êtes absenté(e) toute la journée du samedi. Vous revenez tard dans la soirée et, à votre arrivée dans la cuisine, vous trouvez l'évier rempli de vaisselle sale. Un mot a été laissé à votre intention sur la table : « Mon amour, j'assiste à une conférence. Je rentrerai tard. Bisous. » Le mot est signé par votre conjoint. Vous venez de connaître une expérience sensorielle : des plats dans l'évier, un mot de votre partenaire. Il ne vous reste plus qu'à l'interpréter. Vous conclurez peut-être : « Et moi, je suis supposé(e) laver tout ça ! » Dans ce cas, vous éprouverez sans doute de l'irritation, de la colère ou même de la rancune, et vous déciderez sans doute de ne pas faire la vaisselle. Mais votre interprétation peut aussi se trouver complètement différente : « Il (elle) a dû partir précipitamment, peut-être à cause d'un imprévu. » Sur la base de cette explication, vous ferez la vaisselle. Dans les deux cas, vos sentiments et votre comportement ont été grandement influencés par l'interprétation de votre expérience sensorielle.

Comme nous l'avons souligné précédemment, nos interprétations de la vie sont influencées par nos expériences passées, notre état d'esprit actuel et notre vision de l'avenir. L'illustration ci-dessus permet de le vérifier aisément. Si, par le passé, vous avez souvent vu votre conjoint abandonner de la vaisselle sale dans l'évier, en vous laissant le soin de la laver, vous en conclurez probablement qu'il a récidivé. Si, par contre, il est plutôt du genre à nettoyer les plats immédiatement après le repas, vous serez davantage enclin(e) à conclure que certaines circonstances l'ont amené(e) cette fois à reporter la corvée.

Il est également facile d'observer comment votre état d'esprit actuel influence votre interprétation. Si vous avez vécu une journée formidable (tous vos objectifs ont été atteints, tout s'est déroulé à merveille et vous vous sentez en grande forme), vous serez sans doute davantage disposé(e) à voir dans cette vaisselle sale le signe que votre conjoint a manqué de temps et vous vous attellerez à la tâche avec l'enthousiasme d'un enfant qui prépare une surprise. Si, en revanche, votre journée a été difficile (les événements ont mal tourné, vous n'avez rien accompli de ce que vous aviez prévu et il vous semble avoir perdu votre temps), vous penserez qu'il s'agit de négligence et vous fuirez donc les assiettes sales comme la peste.

Votre vision de l'avenir peut aussi influencer votre interprétation. Si vous espériez passer une soirée douillette et romantique au coin du feu, vous opterez pour l'hypothèse du manque de temps. Par contre, si vous vous êtes réjoui(e) toute la journée de pouvoir vous vautrer devant la télé en rentrant, vous verrez probablement dans cette vaisselle sale un signe de paresse de la part de votre conjoint.

En réalité, vous ignorez sa véritable motivation et vous n'avez qu'une connaissance très limitée du contexte. Vous disposez seulement de votre expérience sensorielle présente : vous voyez la vaisselle sale et vous lisez le petit mot. La seule façon de connaître sa vraie motivation avec certitude est d'attendre que votre conjoint expose honnêtement ses pensées, ses sentiments et ses attentes quand il (elle) a laissé la vaisselle sale dans l'évier. Si vous ne vérifiez pas votre interprétation, vous l'assimilerez à un fait et vous y conformerez vos sentiments et votre comportement. Il s'agit là d'un facteur essentiel à l'origine de nombreux malentendus entre conjoints. Très souvent, nous ne prenons pas la peine de vérifier nos observations auprès de ceux qui pourraient nous donner des informations complémentaires. Toute interprétation devrait être considérée comme provisoire et nous devons toujours rester disposés à la modifier à la lumière de détails nouveaux.

Notre nature nous pousse à donner un sens aux choses. Peu importe ce que nous voyons, entendons, sentons, goûtons ou touchons, nous interprétons, nous tirons des conclusions et nous nous forgeons des opinions, des idées ou des convictions sur ces éléments. Deux personnes regardent une rose rouge. L'une songe : « Dieu n'est-il pas formidable ? Regarde les lignes de cette fleur », et l'autre : « Je me demande ce qu'a fait l'horticulteur pour produire une fleur comme celle-ci. » L'interprétation est manifestement influencée par les convictions de l'individu. Proverbes 23.7 illustre toute l'importance de cette facette particulière de la conscience de soi : « Car il est tel que sont les arrière-pensées de son âme [1]. » Ainsi donc, une grande

---

1. Version Segond révisée dite à la Colombe.

partie de la compréhension de notre moi consiste à prendre conscience des interprétations que nous donnons aux expériences de la vie. Il est capital de distinguer l'événement de l'interprétation.

Il est vingt heures et votre femme n'est pas encore rentrée. La façon dont vous interprétez l'événement influencera vos émotions et votre comportement. Quelque chose ressemble à du rouge à lèvres sur le col de votre mari. La façon dont vous interprétez ce que vous voyez influencera vos émotions et votre comportement. Il est donc extrêmement important de rassembler le plus d'informations possible avant de procéder à une interprétation finale.

ও

Les expériences et notre façon de les interpréter sont deux aspects de la compréhension de notre être. Le chapitre 9 est consacré à trois autres éléments de la compréhension de soi.

Chapitre 9

Apprendre à se connaître soi-même : émotions et sentiments, désirs et choix

Nous ne sommes pas des ordinateurs. Nous éprouvons des émotions et des sentiments en réaction aux situations dans lesquelles nous nous trouvons. Les sentiments sont des émotions spontanées provoquées par nos expériences. Si j'aperçois un éclair dans le ciel, je peux avoir peur. Si ma femme me serre dans ses bras, je me sens rassuré ou aimé. Si j'entends un commentaire négatif sur mon travail, je me décourage. Si ma femme m'annonce que nous partons en vacances le mois prochain, j'éprouve un grand bonheur. Si les enfants marchent sur le tapis fraîchement shampouiné avec des chaussures boueuses, je m'énerve, deviens furieux ou me sens frustré.

Emotions et sentiments sont personnels

C'est ce que nous ressentons qui nous caractérise le mieux. Comme nous l'avons souligné précédemment, il est en effet rare que deux individus éprouvent exactement la même chose après une expérience sensorielle identique. Même s'ils emploient des mots semblables pour décrire leurs sentiments, tels que : « Je suis déçu que nous n'ayons pas pu assister au concert », ils se distingueront par l'intensité de leur déception. Vous seul savez ce que vous ressentez et dans quelle mesure.

Cela dit, nos émotions agissent souvent sur nous à notre insu. La conscience de soi dans le domaine émotionnel nous permettra de mieux nous comprendre.

Nous avons coutume de qualifier nos émotions et sentiments de manière soit positive soit négative. Dans la catégorie positive, nous classons, par exemple, la joie, l'excitation, l'exaltation et la satisfaction. Dans la colonne négative, nous plaçons la colère, la peur, le ressentiment et la dépression. De manière générale, les émotions et sentiments positifs nous attirent vers un être, un lieu ou un objet, tandis que leur version négative nous en écarte. Ainsi, si je me sens apprécié par vous, je serai attiré par votre compagnie. Par contre, si j'éprouve du ressentiment à votre égard, j'aurai plutôt tendance à m'écarter physiquement et émotionnellement de vous.

Il est important pour le chrétien de comprendre que les émotions et sentiments négatifs ne sont pas des péchés. Quels qu'ils soient, ils ne sont ni bons ni mauvais ; ils sont, tout simplement. Vous êtes un être humain et vous êtes donc constamment animé par eux. A la lecture de Colossiens 3.8 (« Rejetez… la colère… »), certains concluent que la colère est un péché. En fait, la mise en garde de Paul portait sur le fait de laisser la colère habiter en soi pendant une longue période. Ephésiens 4.26 nous encourage à ne pas laisser le soleil se coucher sur notre colère, mais le texte ne dit pas qu'elle est un péché. Elle doit être un visiteur temporaire ; elle focalise notre attention sur un point précis, mais ne doit jamais subsister dans notre cœur. Jésus a lui-même éprouvé de la colère plus d'une fois (Marc 3.5 ; 10.14). Les chrétiens sont parfois choqués de découvrir que Jésus pouvait aussi connaître le découragement, voire la dépression (Matthieu 26.37-38). Malgré sa nature divine, Jésus était aussi pleinement humain et ses émotions passaient donc par toute la gamme des sentiments.

Voilà pourquoi vous n'avez pas à vous excuser pour vos émotions. Elles vous éclairent sur votre personnalité et vous donnent des indices sur votre réaction à la situation présente. Elles sont semblables à des témoins lumineux sur le tableau de bord de votre voiture, qui vous informent d'un problème dont vous devez vous préoccuper. Vous avez tout loisir d'ignorer la petite lampe rouge ou bien de vous arrêter à la prochaine station-service. Il en va de même pour vos sentiments. Vous pouvez négliger une émotion négative ou concentrer votre attention sur ce qui l'a déclenchée. Vous ne pouvez pas vous débarrasser de vos sentiments en tentant de les nier, pas plus que vous ne pouvez les contrôler en les ignorant. Si vous ne prêtez pas attention au petit témoin lumineux, le dysfonctionnement de votre voiture ne tardera pas à vous bloquer sur place. De même, si vous éludez vos émotions négatives, vous serez bloqués aussi sûrement par le dysfonctionnement de votre corps et de vos relations.

Vous pouvez modifier vos émotions en réexaminant votre interprétation de la situation ou en obtenant plus d'informations. Imaginons que vous vous trouviez devant la vaisselle sale du chapitre 8 quand votre fils de quinze ans rentre à la maison. Il vous apprend que votre conjoint a passé l'après-midi au service des urgences de l'hôpital avec votre fille cadette et qu'il a fallu lui recoudre la main à cause d'une profonde entaille. Ces précisions de taille modifient immanquablement vos sentiments envers votre conjoint. Nous n'obtenons généralement pas d'information supplémentaire à moins d'en demander. Mais, comme vous pouvez le constater, elles valent la peine d'être connues.

Quatre remarques peuvent être faites à propos des émotions :

- En règle générale, *elles apparaissent de manière impromptue.* Nous ne sommes pas en mesure de décider : « Maintenant, je vais me sentir seul. » La solitude est un sentiment qui nous submerge, et non un état d'esprit que nous adoptons délibérément.

- *Les émotions présentent des degrés d'intensité différents.* Vous vous sentez moyennement heureux ou pleurez de joie. Vous éprouvez une vague mélancolie ou voyez tout en noir.

- *Elles se présentent souvent groupées.* Autrement dit, nous éprouvons généralement des émotions multiples. Si vous êtes impliqué dans un accident de la circulation, vous vous sentirez probablement d'emblée furieux, frustré, irrité, angoissé et craintif, tout à la fois et dans un très court laps de temps.

- *Elles entrent parfois en conflit.* Votre conjoint vous annonce qu'il vient de dépenser 500 euros (une véritable aubaine parce que l'objet ainsi acquis vaut normalement 998 euros). Vous vous réjouissez qu'il ait réalisé une si bonne affaire, tout en craignant de ne pas pouvoir y faire face parce que vous venez vous-même de dépenser 300 euros, sans lui en parler. Autre exemple : votre adolescent rentre à la maison une heure plus tard que prévu. Vous pouvez vous sentir soulagé qu'il soit de retour et heureux de le savoir sain et sauf, mais vous pouvez aussi être furieux qu'il n'ait pas pensé à vous prévenir de son retard.

Plus nous serons conscients de la nature de nos émotions et sentiments, mieux nous comprendrons qui nous sommes et pourquoi nous nous comportons comme nous le faisons. Pour améliorer encore cette conscience, demandons-nous : « Qu'est-ce que j'éprouve en ce moment même ? » Une autre façon d'améliorer notre sensibilité envers nos sentiments consiste à observer notre réaction physique. Souriez-vous à l'écoute de votre interlocuteur ? Votre regard soutient-il le sien ? Quel est le ton de votre voix en lui répondant ? Nos réactions physiques à une situation trahissent souvent nos émotions. Nos sentiments à un moment donné révèlent un aspect de notre identité. En disant : « Je me sens en colère en ce moment même » ou « Je me sens heureux aujourd'hui », vous donnez un aperçu de votre identité. Les sentiments forment une part importante de notre vie et ils influencent beaucoup notre comportement.

Les désirs : messagers du cœur

Nous sommes des créatures de désir. Nous souhaitons posséder tel bien, nous désirons avoir telles qualités, nous voulons voir telle personne agir de telle manière… Les désirs s'expriment généralement par des termes comme : « je voudrais », « j'aime-rais », « j'espère ». Ils peuvent porter sur le long terme (« Je rêve de devenir millionnaire ») ou le court terme (« J'aimerais prendre congé mardi et passer la journée au bord de la mer »). Dans tous les domaines de la vie, nous nourrissons de nombreux désirs. Or, ce sont souvent nos désirs qui plantent le décor de nos actes. Par exemple, le désir exprimé ainsi : « Je voudrais que ma femme se sente aimée », peut vous stimuler à lui acheter une dizaine de roses.

En cet instant même, vous n'éprouvez peut-être pas le moindre désir conscient. Toutefois, avec un peu de réflexion, vous en énuméreriez probablement beaucoup. En termes matériels, peut-être voulez-vous un nouveau four à micro-ondes, des rideaux neufs pour le salon, un tapis pour la chambre à coucher, une seconde voiture ou des vêtements à la dernière mode. Dans le domaine spirituel, souhaitez-vous devenir plus efficace dans le partage de votre foi, plus constant dans vos moments de lecture biblique et de prière, plus prompt à pardonner aux autres ou plus généreux envers l'église ? Dans votre relation avec votre conjoint, vous pourriez désirer plus de communication, moins de disputes, plus d'affection ou un degré de satisfaction sexuelle accru. La liste des désirs que nous entretenons est infinie.

Tous ne revêtent pas la même valeur. Certains d'entre eux pourraient même s'avérer nuisibles ou égoïstes. Les Écritures nous enjoignent à nous en détourner. Paul a indiqué que les échecs du peuple d'Israël devaient nous servir d'exemples « pour que nous n'ayons pas de mauvais désirs comme ils en ont eus. » (1 Corinthiens 10.6) Jésus a clairement dit que nourrir certaines envies était un péché : « Tout homme qui regarde la femme d'un autre pour la désirer a déjà commis l'adultère avec elle dans son cœur. » (Matthieu 5.28)

Nous ne pouvons pas empêcher les mauvais désirs de pénétrer notre esprit, mais nous n'avons pas à les alimenter. Martin Luther aurait dit : « Nous ne pouvons empêcher les oiseaux de voler au-dessus notre tête, mais nous pouvons les empêcher d'y faire leur nid. » Paul nous enseigne à faire

« prisonnière toute pensée pour l'amener à obéir au Christ » (2 Corinthiens 10.5). Le mot traduit par « prisonnière » signifie littéralement « prise dans un filet », comme un papillon piégé dans le maillage du filet. Nous devons emprisonner nos désirs, les prendre au piège, pour les amener devant Dieu et les placer sous son autorité. S'ils sont néfastes, abandonnons-les-lui sans chercher à leur donner suite. S'ils sont sains, concentrons notre énergie à les concrétiser.

La première étape pour juger de la qualité de nos désirs (bons ou mauvais, désintéressés ou égoïstes) consiste à en prendre conscience. Souvenez-vous qu'éprouver un désir mauvais n'est pas en soi un péché. Le péché consiste à l'alimenter et à y conformer son attitude. Certains chrétiens se culpabilisent si une mauvaise pensée leur traverse l'esprit. Ils se disent que s'ils étaient vraiment chrétiens, ils n'éprouveraient pas de telles envies. En vérité, nous sommes tous pécheurs par nature et les désirs mauvais font partie de notre nature déchue. La bonne nouvelle est qu'avec l'aide du Saint-Esprit, nous pouvons ne pas les écouter.

Si vous êtes assailli par un désir nuisible, je conseille une prière comme celle-ci : « Seigneur, tu sais ce que je pense en ce moment, mais je te remercie de me donner la force de ne pas écouter cette pensée. Dirige-moi maintenant vers quelque chose de constructif pour ma vie. » Puis décidez de poser un acte positif. Une telle prière n'efface pas forcément l'envie néfaste de vos pensées, mais elle canalise votre énergie vers une activité positive et constructive. Vous avez amené votre désir devant Dieu et vous l'avez placé sous l'autorité du Christ.

Comme nos sentiments, nos désirs peuvent entrer en conflit : « J'aimerais aller au concert avec ma femme, mais je voudrais aussi assister à la finale du tournoi de tennis. » La force des désirs est également variable. Je peux noter mon envie de devenir millionnaire à 5 sur une échelle de 0 à 10, alors que celle de passer du temps avec mes enfants obtient 10.

Nos désirs peuvent nous pousser à l'action et se révéler extrêmement positifs quand ils sont légitimes. En prendre conscience et en évaluer la valeur est un aspect important de la connaissance de soi. Pour mieux cerner vos désirs, je vous propose de songer à plusieurs domaines de votre vie en complétant la phrase suivante : « Ce que je souhaite le plus dans ce domaine, c'est... » Passez ainsi en revue votre vie spirituelle, vos enfants, votre mariage... Ces désirs existaient dans votre cœur avant que vous ne fassiez ce petit exercice ; il a simplement permis de les mettre en lumière.

Le comportement révèle notre choix

L'être humain possède la capacité intrinsèque de réagir. Nous sommes des créatures d'action. En réaction à notre expérience sensorielle et à l'interprétation que nous lui donnons influencés par nos sentiments et nos désirs, nous décidons d'adopter une certaine attitude. Sur le moment, notre décision paraît logique ; tout est généralement cohérent. Notre comportement est la facette la plus observable de notre être. C'est grâce à lui que les autres se forgent une opinion de nous. Jésus a dit : « Vous les reconnaîtrez à leurs actions » (Matthieu 7.16) et « Si vous vous aimez les uns les autres, alors tous sauront que vous êtes mes disciples. » (Jean 13.35) Il est évident que la référence de Jésus à l'amour impliquait des actes observables, témoignant d'une sollicitude réelle. En effet, nos actes sont visibles, mais pas la sollicitude que nous éprouvons. Notre comportement est donc extrêmement important dans notre témoignage auprès des autres.

Si notre attitude est positive et appropriée, nos choix nous laissent normalement une bonne impression. Si notre comportement est malsain, nous nous sentons honteux ou coupables. Lorsque j'ai causé du tort à mon conjoint, je me sens coupable. Comme je désire être en communion avec Dieu et avec mon conjoint, je trouve la motivation de dire : « Je regrette. J'ai eu tort. Veux-tu me pardonner ? » Mon interlocuteur entend ma confession, voit l'expression de mon visage, comprend ma sincérité et éprouve de la sympathie envers moi. Comme il veut, lui aussi, faire ce qui est juste et ressembler à Jésus, il choisit de me pardonner et notre relation est restaurée.

Il arrive que nous prenions conscience de notre comportement parce que des gens nous en parlent. Votre mari pourrait dire : « J'aime ta façon de sourire quand tu chantes dans la chorale. » Auparavant, vous n'aviez peut-être jamais songé que vous souriiez. Lorsque je suis au volant et que ma femme me tapote doucement le bras, je sais d'emblée que j'ai dépassé la vitesse autorisée. Sans son petit geste, je suis complètement inconscient de mon attitude. Prendre conscience de votre comportement vous permettra de mieux comprendre la réaction de votre conjoint à votre égard. J'ai souvent rencontré des couples inconscients de leurs mauvais modes de fonctionnement dans leur manière de s'adresser l'un à l'autre et de l'influence que cela pouvait avoir sur leur conjoint. En prenant conscience de nos travers, nous avons la possibilité de les modifier, si nous le désirons.

Tout changement de comportement présente à la fois une dimension spirituelle et une humaine. La dimension spirituelle est évoquée par Paul à propos de son propre vécu :

> Je ne comprends pas ce que je fais : car je ne fais pas ce que je voudrais faire, mais je fais ce que je déteste [...] Car je sais que le bien n'habite pas en moi, c'est-à-dire dans ma faiblesse humaine. En effet, quoique le désir de faire le bien existe en moi, je suis pourtant incapable de l'accomplir. Je ne fais pas le bien que je veux, mais je fais le mal que je ne veux pas. Si je fais ce que je ne veux pas, alors ce n'est plus moi qui agis ainsi, mais le péché qui habite en moi.

~ *Romains 7.15, 18-20*

Après avoir décrit ce combat spirituel, Paul explique que c'est la puissance du Saint-Esprit dans notre vie qui nous libère de la domination de notre nature pécheresse et nous permet d'accomplir le bien que nous désirons (Romains 8.1-2). Ainsi, le chrétien sait qu'en s'abandonnant au Saint-Esprit et en le laissant contrôler son comportement, il accède à la puissance nécessaire pour mener une existence positive.

Mais toute attitude comporte aussi une dimension humaine et c'est l'aspect sur lequel nous nous concentrons dans ce chapitre. Notre comportement traduit toujours notre expérience sensorielle, notre interprétation de cette expérience, nos sentiments et nos désirs. Au quotidien, ils ne dépassent généralement pas le niveau du subconscient. Toutefois, si nous prenons garde à ces questions et si nous développons une meilleure conscience de nous-mêmes, non seulement nous comprendrons mieux notre attitude, mais nous serons aussi beaucoup plus susceptibles de nous comporter de manière constructive.

Remarquez que les cinq aspects de la conscience de soi abordés jusqu'ici (l'expérience, l'interprétation, les émotions, les désirs et le comportement) sont étroitement liés. L'un mène logiquement à l'autre, mais il nous arrive de nous concentrer plus précisément sur un. Certaines facettes de notre personnalité nous sont généralement plus familières. Ainsi, dans l'exemple des deux personnes qui contemplent les gorges, l'une se concentre sur ses sentiments (elle s'imprègne de la beauté, des couleurs, de la profondeur du paysage), tandis que l'autre est davantage en phase avec ses désirs (peut-être l'envie d'un en-cas ou d'une boisson rafraîchissante) et ne voit donc dans ces gorges qu'un immense trou, dont elle souhaite s'éloigner pour trouver quelque chose de plus enthousiasmant. Pour prendre pleinement conscience de notre identité, nous devons décoder les cinq aspects de la conscience de soi.

La société occidentale manifeste une grande propension à privilégier les émotions et les désirs, aux dépens de la raison et du choix. L'expression « être honnête avec soi-même » est devenue un leitmotiv. Ainsi, un mari déclare : « Je dois être honnête avec moi-même ; je ne l'aime plus », et il utilise ce prétexte pour quitter sa femme. Ou une femme décrète : « Je dois être honnête avec moi-même. Je déteste mon mari et je ne veux plus vivre avec lui » et elle rompt. Remarquez que ces deux explications font référence aux sentiments. Le mari utilise le verbe « aimer » (« Je ne l'aime plus ») et l'épouse le verbe « détester » ; ce sont des expressions émotionnelles. Dans un cas comme dans l'autre, les individus considèrent que leurs sentiments priment et ils y conforment leur comportement.

Il s'agit là d'une erreur très répandue. En Occident, nous

avons appris à exalter nos émotions et nos désirs, à leur accorder la primauté sur le reste, dans l'idée qu'ils exprimaient notre
véritable moi. C'est une grave erreur, qui de plus n'est pas du
tout conforme à l'enseignement de la Bible. Ainsi, les Proverbes disent : « Car il est tel que sont les arrière-pensées de son
âme [1]. » (23.7) L'accent est placé sur les pensées, et non les
sentiments. Dans le Nouveau Testament, nous lisons :

> Au reste, frères, que tout ce qui est vrai, tout ce qui est honorable,
> tout ce qui est juste, tout ce qui est pur, tout ce qui est aimable,
> tout ce qui mérite l'approbation, ce qui est vertueux et digne de
> louange, *soit l'objet de vos pensées* ; ce que vous avez appris, reçu et
> entendu, et ce que vous avez vu en moi, *pratiquez-le*. Et le Dieu de
> paix sera avec vous [2].

> ~ *Philippiens 4.8-9*

Remarquez que ces versets insistent sur les pensées et l'attitude. La façon dont nous interprétons les expériences de la vie
et la façon dont nous y réagissons importent bien davantage
que ce que nous éprouvons ou désirons.

J'illustrerai mon propos par un exemple tiré de la vie de
Jésus, à quelques heures à peine de son calvaire sur la croix :

> Jésus arriva avec ses disciples à un endroit appelé Gethsémané et il
> leur dit : « Asseyez-vous ici, pendant que je vais là-bas pour prier. »
> Puis il emmena avec lui Pierre et les deux fils de Zébédée. Il
> commença à ressentir *de la tristesse et de l'angoisse*. Il leur dit
> alors : « Mon cœur est *plein d'une tristesse de mort* ; restez ici et
> veillez avec moi. » Il alla un peu plus loin, se jeta le visage contre
> terre et pria en ces termes : « Mon Père, si c'est possible, éloigne de
> moi cette coupe de douleur. Toutefois, non pas comme je veux,
> mais comme tu veux. »

> ~ *Matthieu 26.36-39*

Remarquez attentivement les mots en italique. Qu'éprouvait Jésus ? Il était triste et angoissé, submergé par le chagrin.
Quels étaient ses désirs ? « Si c'est possible, éloigne de moi
cette coupe de douleur. » Mais comment interprète-t-il la

---

1. Version Segond révisée dite à la Colombe.
2. Id.

situation ? « Toutefois, non pas comme je veux, mais comme tu veux. » La volonté du Père primait sur les sentiments ou les désirs présents de Jésus. En conséquence, son attitude fut déterminée, non pas par ses émotions ou son espoir momentané d'être épargné, mais bien par sa conviction que la vie doit être contrôlée par la volonté de Dieu et non par les émotions et les envies.

Il s'agit là d'une leçon importante à assimiler, en particulier dans une société qui a tant exalté les sentiments et les désirs et nous a convaincus que si nous n'étions pas à leur écoute, nous ne serions jamais heureux. Le fait est qu'ils doivent toujours être assortis de réflexion et suivis d'un acte de notre volonté. La pire forme d'immaturité consiste à laisser ses sentiments et ses désirs mener sa vie. Notre esprit évalue la sagesse d'un comportement basé sur certaines émotions et notre volonté exécute notre décision d'adopter ou non l'attitude en question. Ainsi, je peux craindre d'avouer à mon épouse que j'ai oublié de passer prendre les vêtements à la blanchisserie — vêtements dont elle avait besoin le week-end. Mon esprit décide que je ne dois pas agir sur la base de ma crainte. Ma volonté exécute la décision de dire la vérité. S'il nous faut exalter deux des cinq facteurs de la conscience de soi, ce devrait être l'interprétation de nos expériences sensorielles et notre attitude, car ces deux-là revêtent une importance capitale.

Faut-il pour autant en conclure que les désirs et les émotions ne sont pas importants ? En aucun cas. Ils forment une part essentielle de notre personnalité et ne peuvent être ignorés ou refoulés. C'est par le contact avec nos émotions et nos désirs que nous pourrons les analyser et prendre de sages décisions.

La façon dont nous réfléchissons, par contre, influence grandement nos sentiments. Dans toute situation, j'ai le choix de penser le meilleur au sujet de mon conjoint ou le pire. Dans ce dernier cas, j'éprouve presque inévitablement de la colère et du ressentiment. Si je choisis le meilleur, mes sentiments du moment seront neutres, voire positifs. Je peux être déçu si de nouvelles informations me révèlent que j'ai eu tort, mais je serai au moins dans un état d'esprit plus favorable pour traiter cette réalité négative.

Le chrétien dispose d'une aide formidable pour bâtir son mariage. Il a non seulement la capacité de développer sa conscience de soi, tout comme les non-chrétiens, mais il dispose également de la sagesse supplémentaire des Écritures et de l'aide du Saint-Esprit pour interpréter les événements de la vie et orienter ses pensées et son comportement. Le couple qui choisit d'utiliser ces ressources aura des années-lumière d'avance dans la construction d'une union heureuse.

Revenons-en au mari qui n'aime plus sa femme et sent qu'il doit la quitter. Confronté à de tels sentiments et désirs, un chrétien éprouvera en plus de la frustration parce qu'il sait que les Écritures lui enjoignent d'aimer sa femme comme le Christ a aimé l'Église (Éphésiens 5.25). Il sait aussi que, selon la Bible, le mariage est contracté à vie et que Dieu déteste le divorce (Malachie 2.16). Alors, que doit faire ce mari ?

Il exposera ses difficultés à Dieu et réclamera de la sagesse. Il commencera par sonder les Écritures pour trouver une direction. La Bible enseigne qu'un grand nombre de conseillers apporte la sécurité (Proverbes 11.14). Donc, en obéissance aux Écritures, le mari pourra s'adresser à un conseiller ou se plonger dans des livres pour savoir comment d'autres ont géré des sentiments et des désirs similaires. Ainsi, il découvrira probablement que ses émotions et ses envies sont plutôt répandues, que l'euphorie et le romantisme vont et viennent dans une relation conjugale au gré des marées de la vie et qu'il peut y avoir des périodes au cours desquelles ils disparaissent presque totalement. Certaines raisons expliquent cette situation et elles sont généralement liées à l'insatisfaction de besoins émotionnels ou physiques. Il apprendra aussi qu'il est possible de raviver ces sentiments positifs et romantiques dans sa relation conjugale.

Il y a lieu d'espérer qu'il parviendra à un stade où il pourra partager ses difficultés avec sa femme. Idéalement, elle laissera son engagement envers Jésus-Christ la motiver à faire courageusement le point sur les fondements de son mariage, à se montrer ouverte à de nouvelles perspectives et à travailler avec lui à reconstruire une relation aimante. Avec le temps, il se pourrait bien que tous deux assistent à la renaissance de sentiments romantiques et jouissent d'une relation plus profonde encore. En décidant de laisser son interprétation chrétienne de la vie influencer son comportement, le mari récoltera les fruits d'une telle sagesse. Il sera plus difficile pour son ami non chrétien, qui n'a aucune connaissance de ces ressources, d'arriver à de telles conclusions. Si nous nous familiarisons avec les cinq facteurs de la conscience de soi, nous prendrons des décisions plus responsables.

ↄ

Avec une conscience plus aiguë de nous-mêmes, nous sommes mieux équipés pour partager notre vie avec notre conjoint. Dans le chapitre 10, nous examinerons le processus de l'« auto-révélation », processus qui renforce l'intimité.

Chapitre 10

L'art de
l'« auto-révélation »

Vous vous demandez peut-être : « Pourquoi tant insister sur la connaissance de soi ? Je sais que j'expérimente la vie à travers mes cinq sens. Je sais que j'interprète mes diverses expériences, que j'éprouve des émotions et des désirs, et que je fais des choix, alors pourquoi consacrer autant de temps à mieux me connaître ? » Le problème qui nous préoccupe n'est pas la conscience de soi, mais bien l'intimité conjugale. Le mariage alliance, tel qu'il est décrit dans la Bible, ne consiste pas en la cohabitation de deux individus. Il s'agit plutôt de deux êtres dont le cœur et l'existence sont liés dans une profonde intimité, qui exige aussi de révéler à l'autre son moi intérieur. Or, la connaissance de soi est une exigence préalable indispensable à pareil échange. Comment vous dire qui je suis si j'ignore qui je suis ?

La connaissance de soi et l'auto-révélation sont des processus essentiels à la construction de l'intimité conjugale. L'acte de l'auto-révélation me permet généralement de mieux comprendre ce que je ressens ou quels sont mes véritables désirs. Une femme confie à son mari : « Je suis déçue que tu ne m'aies pas présentée à ton ami. En réalité, ce n'est pas tant le fait que tu ne m'aies pas présentée ; j'ai eu l'impression de ne pas compter pour toi. Si j'avais été importante, je pense que tu aurais eu une attitude différente. » L'épouse comprend mieux ses sentiments en cherchant à les exposer à son mari. A travers l'auto-révélation, nous cherchons à être mieux connu de notre conjoint, à gagner en proximité et en intimité dans notre relation, à être compris et à révéler à l'autre ce qui nous caractérise vraiment.

Le principe le plus fondamental de l'auto-révélation est d'apprendre à s'exprimer personnellement. Les spécialistes en communication préconisent à cet égard d'utiliser la première personne plutôt que la seconde. Si je commence ma phrase par « je » puis m'efforce de décrire, non seulement ce que j'ai expérimenté, mais aussi mes émotions, mes désirs et mon attitude, vous me connaîtrez peut-être mieux. Voyez l'exemple suivant : « Je t'ai entendu dire que tu projetais de jouer au foot samedi. J'en conclus que tu ne pourras pas m'accompagner à l'anniversaire de ma mère. Je suis déçue. J'avais espéré que nous pourrions y aller ensemble. Si j'en parle, c'est parce que j'ai peut-être mal compris ce que tu as dit ou peut-être que tu as oublié l'anniversaire. J'aimerais savoir ce que tu penses et ce que tu ressens. Je ne veux pas que cela devienne un obstacle entre nous. »

Les phrases en « tu », elles, poursuivent un but complètement utopique : parler pour son conjoint. Elles impliquent que vous avez lu ses pensées et connaissez ses sentiments et ses désirs. Le même discours à la seconde personne ressemblerait à ceci : « Tu as dit que tu allais jouer au foot samedi. Tu sais que c'est le jour de l'anniversaire de ma mère. Tu ne penses jamais à moi ni à mes sentiments. Tu penses seulement à ce que tu veux. » Ces expressions présupposent que vous connaissez les intentions, les pensées et les désirs de votre conjoint.

Tous les usages de la seconde personne ne sont pas forcément accusateurs. Une épouse peut dire à son mari : « Tu m'aimes. Tu sais que tu m'aimes. Tu t'es toujours montré si gentil envers moi. Tu cherches toujours à faire ce qui me rend heureuse. Tu es si sensible et si attentionné. » Dans ces cas, l'emploi de la seconde personne peut aussi viser à le manipuler pour l'amener à faire ce qu'elle désire.

En utilisant des expressions comme : « Tu es furieux », « Tu ne m'apprécies pas vraiment », « Tu devrais travailler sur la voiture au lieu de regarder la télévision », nous exprimons sur un ton dogmatique ce que nous percevons de la situation. En communiquant de la sorte, nous alimentons généralement l'amertume de notre interlocuteur parce que nos paroles dépassent notre connaissance et, dans certains cas, nous parlons comme si nous étions omniscients en prétendant savoir comment l'autre devrait agir.

La première personne, par contre, permet de décrire honnêtement notre propre expérience, ce que nous sentons, pensons, éprouvons, désirons et faisons. « Je me sens fatiguée », « Je pense que tu as raison » et « J'aimerais que nous puissions faire du shopping demain » révèlent une partie de notre identité dans le présent. Pour communiquer avec son conjoint, le « je » est toujours préférable au « tu ».

Un autre écueil dans le domaine de la communication consiste à utiliser la troisième personne du pluriel, qui tend à décrire un ensemble trop large et trop flou. Par exemple : « Certains pensent qu'il est néfaste que la belle-mère habite avec le couple. » « La plupart des gens pensent que deux heures suffisent pour acheter une paire de chaussures à un enfant. » « Ils disent que la femme est plus émotive que l'homme. » Celui qui s'exprime ainsi n'assume manifestement pas la responsabilité du message transmis. Son interlocuteur ne perçoit pas vraiment s'il est d'accord avec le discours, même s'il peut supposer que c'est probablement le cas. Il est de loin préférable de s'exprimer pour soi-même plutôt que rapporter ce que « les gens » en pensent.

Révéler nos expériences

Nous révélons nos expériences en décrivant ce que nous voyons, entendons, touchons, goûtons ou sentons. Nous livrons à notre conjoint le bénéfice de notre expérience sensorielle. Nous lui exposons le matériau brut, les faits, et lui faisons part de notre interprétation. Nous avons perçu une réaction de notre conjoint, nous la lui décrivons en lui disant comment nous la percevons. Ainsi, Marie peut confier à Benoît : « J'ai remarqué jeudi soir, quand nous achetions des chaussures pour Kevin, que tu hochais la tête en signant le chèque. Cela m'a amenée à penser que tu trouvais les chaussures trop chères. Ai-je bien interprété ta réaction ? » Cette explication donne à Benoît la possibilité de confirmer son interprétation ou de clarifier les pensées qui l'animaient alors. De plus, il connaît désormais l'expérience sensorielle qui a permis à Marie de tirer cette conclusion.

Imaginons le dialogue suivant. Un époux dit à sa femme :

– La nuit dernière, quand nous avons quitté les Dubois, je t'ai entendue dire à la dame : « On se voit la semaine prochaine ? » Vous participez à la même étude biblique, c'est ça ?

– Non, nous nous voyons généralement à l'entraînement de football de Thomas. Son fils Benjamin est dans la même équipe que lui.

– Je t'ai devinée un peu mal à l'aise quand elle a voulu aborder des questions spirituelles. Avais-je raison ?

– Oui. Elle est un peu trop insistante à mon goût. J'ai l'impression qu'elle se montre exagérément dogmatique sur ses convictions.

Remarquez que les conjoints s'expriment systématiquement à la première personne. Ils partagent leurs impressions et leurs pensées. La conversation se poursuivra sans doute positivement tant que chacun d'entre eux continuera à s'exprimer pour lui-même et non pour l'autre ou pour Madame Dubois.

Généralement, en partageant ce que nous avons entendu, vu, senti, goûté ou touché, nous donnons notre propre interprétation de notre expérience. Par exemple, François dit à Julie : « Quand j'ai quitté la maison ce matin, j'ai vu que tu me regardais en souriant. J'en ai supposé que tu m'avais pardonné d'être rentré tard hier soir. » En communiquant à Julie ce qu'il a pu observer dans son comportement (un sourire), il explique comment il en conclut qu'elle lui a sans doute pardonné. Julie a alors la possibilité de confirmer ou d'infirmer.

Votre conjoint est bien plus susceptible de comprendre

votre conclusion s'il comprend l'expérience sensorielle sur laquelle vous l'appuyez. Qu'il soit d'accord ou non avec votre conclusion, il en connaîtra au moins le parcours logique.

Le meilleur moyen de partager vos expériences consiste probablement à vous concentrer sur les cinq sens (ouïe, vue, odorat, goût et toucher). Exercez-vous à compléter les phrases suivantes et vous développerez l'art de l'auto-révélation : « Je pense t'avoir entendue dire... », « Quand je suis rentré ce soir, je pense t'avoir vue... », « Quand je suis entrée dans la maison, j'ai senti... », « Quand j'ai goûté ta soupe de légumes... », « Quand je t'ai serré dans mes bras cet après-midi... » Commencez par décrire ce que vous avez vu, entendu, senti, goûté ou touché, et seulement ensuite partagez vos conclusions ou vos interprétations.

Révéler nos interprétations

Certains couples n'ont pas l'habitude de partager l'interprétation de leurs expériences sensorielles. Ils tirent simplement des conclusions et agissent en conséquence. Cela explique bon nombre des malentendus qui minent les relations conjugales. Mon épouse peut n'avoir aucune idée de la raison pour laquelle je réagis comme je le fais parce qu'elle ne comprend pas les conclusions que j'ai tirées de mon observation.

Les interprétations reposent sur notre expérience limitée. Nous devrions donc toujours considérer notre conclusion comme temporaire tant que nous ne l'avons pas partagée avec notre conjoint. Des informations complémentaires peuvent éclairer nos conclusions d'un jour nouveau. Par exemple, Martine dit à Philippe : « Quand je te parlais tout à l'heure, j'ai remarqué que tu avais les paupières lourdes. J'ai eu l'impression que ce que je disais ne t'intéressait pas. Est-ce vrai ? » Philippe répond : « Non, chérie, ce que tu as à dire m'intéresse, mais la nuit dernière je n'ai pas très bien dormi et tout à l'heure, j'ai eu un gros coup de pompe. » Nous ne devons jamais supposer que notre conclusion est exacte, mais toujours donner à notre conjoint la possibilité de fournir des explications. L'important est de lui révéler ce que nous pensons.

Si Martine n'avait pas verbalement confié à Philippe son interprétation de son comportement, l'issue aurait pu être totalement différente. Elle aurait pu observer son attitude (s'endormir pendant qu'elle lui parle), tirer ses conclusions (mes propos ne l'intéressent pas) et se replier sur elle-même en gardant le silence pendant le reste de la soirée. Elle aurait même pu se montrer froide envers lui pendant plusieurs heures, voire plusieurs jours. Il aurait observé son attitude sans obtenir la moindre explication. Il en aurait donc tiré ses propres conclusions, sans doute en se sentant rejeté et, à son tour, en éprouvant du ressentiment envers elle. Lui aussi se serait peut-être isolé davantage. Dans notre illustration, un malentendu et des blessures ont pu être évités parce que Martine a partagé son interprétation avec Philippe et demandé une explication. Une part non négligeable de douleur et d'incompréhension conjugales peut être évitée en apprenant à partager les interprétations de nos expériences et en donnant à notre conjoint l'occasion de s'expliquer.

Il est important de nous rappeler d'utiliser la première personne pour partager nos interprétations, car nous nous contentons alors d'informer notre conjoint sur nos pensées. Ainsi, Léa peut dire à son mari : « Je pense que tu aimerais cette pièce de Shakespeare. J'ai parlé avec Nancy cet après-midi. Elle l'a vue hier soir et elle m'a dit… » Léa explique son interprétation, elle s'exprime donc en « je » : « *Je* pense que tu aimerais… » et non « *Tu* aimerais… ».

Révéler nos sentiments

La plupart de nos sentiments sont associés à des expériences vécues dans le passé ou dans le présent. La prochaine fois que vous vous sentirez déçu, demandez-vous : « Quelle est l'origine de ma déception ? » Vous découvrirez très probablement qu'elle est directement liée au comportement de quelqu'un, peut-être celui de votre conjoint ou le vôtre.

Supposons que vous ayez prévu une promenade à la campagne après le déjeuner. Vous l'avez même mentionné à votre conjoint la veille, mais il est rentré à la maison deux heures plus tard que prévu et une escapade à la campagne est désormais hors de question. Si vous n'exprimez pas votre déception, elle se manifestera certainement à travers votre comportement, mais votre conjoint disposera de très peu d'indices pour en comprendre les raisons. Si vous partagez vos sentiments et l'expérience sur laquelle ils sont fondés, il obtiendra une image plus claire de votre état d'esprit du moment. On peut espérer alors qu'il optera pour la réaction appropriée.

Il est important de distinguer le fait d'agir sur la base de ses sentiments et le fait de les partager. Assurément, nous ne désirons pas être sous le contrôle de nos émotions ou sentiments. Ils ne sont que l'un des nombreux facteurs qui déterminent notre comportement, mais puisqu'ils nous influencent, nous serons mieux connus et mieux compris si nous les partageons. « Je suis heureuse que nous ayons décidé de prendre un professeur particulier pour Nicolas. » « Je suis découragé par mes progrès en anglais. » Rappelez-vous également de vous exprimer à la première personne parce que vous parlez uniquement pour vous-même : « J'ai vraiment apprécié notre moment ensemble à la plage », au lieu de « Nous avons passé un bon moment à la plage. »

Certains d'entre nous ont appris qu'il ne fallait pas montrer ses sentiments et peuvent dès lors éprouver des difficultés à se dévoiler. Les sentiments font pourtant partie de nous. Si nous ne les partageons pas, nous privons notre conjoint d'une partie de notre être.

Révéler nos désirs

Beaucoup de malentendus et de frustrations dans le cadre conjugal sont également dus au fait que les désirs de chacun ne sont pas exprimés de manière positive et équitable. Attendre de son conjoint qu'il réponde à nos souhaits non formulés revient à demander l'impossible et rend la déception inévitable. Si nous disons nos désirs, notre conjoint peut chercher à y répondre ou refuser de participer à leur concrétisation, mais il a au moins le choix.

J'ai connu des individus qui ont secrètement rêvé pendant des années d'une certaine forme d'anniversaire de mariage, sans toutefois jamais en parler à leur partenaire. Année après année, ils ont attendu que leur conjoint les surprenne miraculeusement. J'espère qu'ils vivront longtemps parce que ce genre de surprise n'arrive que très rarement. Ne serait-il pas plus sage de faire part de nos désirs simplement et clairement pour que notre conjoint sache comment nous faire plaisir ?

Il s'agit là d'un aspect essentiel de l'auto-révélation. « Je voudrais… » « Je souhaite… » « Tu sais ce qui me ferait vraiment plaisir… ? » et « J'espère un jour pouvoir… » : autant de phrases qui expriment des désirs. Notez que si ces mots transmettent des informations et parfois des requêtes, ils ne correspondent jamais à des exigences. Par exemple : « J'aimerais passer un week-end dans les montagnes cet été » est une phrase d'information, qui peut ensuite être assortie d'une requête : « Pourrions-nous y aller le troisième week-end d'août ? » Vous pouvez même formuler à la fois l'information et la demande : « Quand tu auras le temps, j'aimerais te raconter ce qui m'est arrivé au bureau aujourd'hui. »

Souvenez-vous qu'il est facile de se mettre à parler pour l'autre. Ainsi, nous nous exprimons à sa place si nous disons : « Tu ne devrais pas faire ça ce soir parce que Mélissa répète ses exercices de piano. » Mieux vaut dire : « J'aimerais que tu ne fasses pas ça ce soir parce que je pense que cela interférera avec les exercices de piano de Mélissa. » Si nous connaissons les désirs de notre partenaire, nous pouvons orienter notre comportement en connaissance de cause.

Nous ne devons pas tenter de manipuler notre conjoint en exprimant nos souhaits. « *Ne crois-tu pas* qu'il y aura trop de monde à la galerie commerçante ce soir et que nous ferions mieux de reporter nos achats ? » est une tournure de phrase manipulatrice. Mieux vaut dire : « *Je préférerais* ne pas aller à la galerie commerçante ce soir. Je pense qu'il y aura trop de monde. » Nous n'avons pas à contrôler les décisions de notre partenaire. Notre seule responsabilité consiste à l'informer de nos désirs.

Révéler notre comportement

Pourquoi dois-je expliquer mon comportement à mon conjoint ? Ne peut-il se contenter d'observer ? Oui et non. Ma femme peut voir mon attitude, mais ne pas comprendre sa signification. Ainsi, elle peut constater que je m'assoupis pendant qu'elle me parle, mais elle ignore peut-être que le médicament que j'ai pris deux heures plus tôt pour soulager ma migraine m'endort. Par contre, si je lui dis : « Je me suis endormi. Excuse-moi. J'ai pris un calmant il y a deux heures et cela m'a rendu somnolent. J'avais pourtant envie d'entendre ce que tu avais à me dire », elle comprendra beaucoup mieux mon attitude.

Il peut s'avérer utile de donner des détails sur notre comportement aussi bien passé, présent et futur.

Concernant le futur, notre conjoint aura ainsi une meilleure idée de nos intentions : « J'ai prévu de laver la voiture dès que je rentrerai du match de football. » Ainsi, votre femme sait quelle attitude elle peut attendre de vous après le match. La plupart des conjoints qui reçoivent pareilles informations les jugent extrêmement satisfaisantes. Avant tout, elles montrent que celui ou celle qui communique ses intentions se soucie suffisamment de son partenaire pour l'informer. Ensuite, celui ou celle qui reçoit l'information a la possibilité d'y réagir. Enfin, ces détails pratiques lui permettent d'organiser son propre programme et le préserve d'imprévus auxquels il (elle) devrait s'adapter.

Ce matin, j'ai dit à ma femme : « J'aimerais passer la matinée dans le jardin puis, cet après-midi, me consacrer à l'écriture. Qu'en penses-tu ? » Elle a trouvé le programme excellent. (Chaque fois que je travaille dans le jardin, elle est ravie). Elle m'a communiqué certains de ses projets pour la journée et nous avons tous deux entamé notre programme avec le sentiment d'être unis, même si nous allions passer la majeure partie de notre temps séparés. Le choix de s'informer réciproquement sur nos activités à venir et de laisser l'autre donner son avis contribue grandement au développement de l'intimité dans une relation conjugale.

Parler de notre attitude passée peut aussi contribuer à exprimer notre amour et notre sollicitude. Supposons que votre conjoint et vous conveniez de refaire entièrement la décoration de la chambre à coucher le mois prochain, et même d'acheter un nouveau mobilier. Vous convenez que chacun d'entre vous étudiera d'abord certains aspects du projet. Deux semaines plus tard, vous avez tous deux rempli vos tâches, mais vous n'avez pas échangé sur ce que vous avez fait et vous avez l'impression que l'autre n'est pas intéressé par le projet. Ce malentendu aurait pu être évité en disant : « Aujourd'hui, je suis allé chez le marchand de meubles et j'ai noté le prix des chambres. J'ai vraiment aimé un modèle en particulier et j'ai trouvé que le prix était raisonnable. J'aimerais que tu puisses y jeter un œil. » Désormais, votre partenaire sait que vous êtes impliqué dans le projet et il est satisfait de ce que vous avez accompli.

Si votre mari vous dit : « J'ai essayé de t'appeler avant de quitter le bureau aujourd'hui, mais la ligne était occupée. Je regrette de t'avoir manquée », vous serez probablement encouragée de savoir qu'il a essayé de vous joindre (à moins bien sûr que vous interprétiez sa remarque comme un reproche pour le temps passé au téléphone).

Enfin, expliquer son comportement présent est peut-être ce que nous sommes le moins enclins à pratiquer, car la plupart d'entre nous supposent que leur conjoint peut observer leur attitude et la comprendre d'emblée. J'ai pourtant constaté que les partenaires qui apprennent à expliciter leur comportement présent, en particulier s'il est négatif, favorisent grandement leur communication. « Je suis sortie de la pièce pendant que tu parlais. Ce n'était pas très poli de ma part. Je m'excuse. J'essaie vraiment de me débarrasser de cette mauvaise habitude. Je m'intéresse à ce que tu dis. S'il te plaît, termine ton histoire. » Ce genre d'explication modifierait radicalement la relation de certains couples.

Vous pourriez dire : « Je parle trop fort. Je suis désolé. » Vous indiquez ainsi à votre femme que vous avez conscience de votre mauvaise habitude et que vous vous souciez de son effet sur elle. Avant d'entendre votre excuse, elle ne peut que vous observer. Elle ignore si vous êtes conscient de votre comportement et comment vous l'interprétez.

Supposez que votre mari entre dans la pièce et vous trouve en pleurs. Il voit vos larmes, mais n'a pas la moindre idée de leur origine. Si vous dites : « Je pleure, mais cela n'a rien à voir avec toi. Je pensais simplement à quel point ma mère me manque... je suis triste de ne plus pouvoir jamais lui parler », vous venez de donner à votre mari des informations précieuses. Libre à lui, alors, de vous serrer dans ses bras et de vous adresser quelques paroles réconfortantes. Le voilà dispensé de passer la soirée à se demander pourquoi vous pleuriez et s'il vous avait blessée d'une quelconque manière. Reconnaître son comportement et expliquer ce qui l'a motivé engendre la compréhension et l'intimité.

Dans nos conversations, quelques phrases suffisent rarement à couvrir les cinq aspects de l'auto-révélation, bien que nous puissions souvent en communiquer deux ou trois. Par exemple, nous pouvons dire : « Je me réjouis vraiment de notre décision d'acheter un four à micro-ondes (sentiment). Je voudrais l'avoir avant le week-end prochain si possible (désir). Je pense que cela m'aidera vraiment à gagner du temps (interprétation). » Autre exemple : « En rentrant, j'ai vu de l'eau ruisseler sous la porte de la buanderie (expérience). La machine à laver doit fuir (interprétation). Je n'ai vraiment pas envie d'affronter ce problème ce soir (sentiment), mais je sais que cela ne peut pas attendre demain matin, alors je vais y aller dès que je me serai lavé les mains (comportement). »

De tels développements aident notre conjoint à comprendre ce que nous vivons et comment nous l'interprétons. La relation, en effet, ne peut pas se fonder sur un jeu de devinettes. Inutile désormais de s'efforcer de décrypter les pensées de l'autre ou de se demander comment interpréter une réaction. Nous avons accès à l'exposé direct de nos expériences mutuelles et de notre interprétation. Ce genre d'auto-révélation et de dévoilement améliore grandement la relation conjugale.

↵

Exercez-vous à l'auto-révélation en complétant les phrases suivantes au moins une fois par jour :

- J'ai vu ou entendu...
- J'ai supposé que...
- C'est pourquoi j'ai éprouvé...
- J'aimerais...
- Je pense que je devrais...

En vous exerçant de la sorte, vous communiquerez progressivement plus librement avec votre conjoint. Apprendre l'art de l'auto-révélation peut demander des efforts, mais le jeu en vaut la chandelle. Dans le chapitre 11, nous nous attarderons sur votre potentiel de croissance future.

Chapitre 11

Se préparer à grandir : priorités et objectifs

Le temps passe, le contexte change, mais la question reste : « Progressons-nous en chemin ? » Il existe une énorme différence entre changement et croissance. Le changement est généralement aléatoire ; la croissance tend à être induite. Elle poursuit un objectif, qui n'est pas forcément visible immédiatement. Si je plante un potager, je ne cherche pas à obtenir de jolies plantes, mais plutôt à produire des tomates, des salades et des concombres. De même, dans le mariage, notre but n'est pas d'habiter sous le même toit et de paraître « un couple idéal », mais bien de vivre une relation intime dans laquelle nous nous encourageons mutuellement à devenir tout ce que Dieu désire pour notre vie. Pour nous préparer à grandir, nous devons clarifier nos priorités et nos objectifs.

Le chrétien doit s'assurer que ses priorités reflètent celles de Dieu. Mes valeurs correspondent-elles aux siennes ? Ce qui compte dans ma vie importe-t-il tout autant aux yeux de Dieu ? Ma vision de l'existence est-elle proche de la perspective divine ? Pour connaître le succès, nous devons aligner nos priorités sur celles de Dieu.

Les priorités correspondent à ce que nous jugeons d'une grande importance dans la vie. Quelles sont celles qui sont traditionnellement relevées par les chrétiens ? La plupart conviendraient que la plus essentielle est notre relation et notre communion avec Dieu, car elle influence toutes les autres. Si Dieu est l'auteur de la vie, alors rien ne compte plus pour comprendre la vie que de comprendre d'abord qui il est (cf. Jean 17.3). Si Dieu a parlé, alors rien n'est plus important que d'entendre sa voix (Matthieu 11.15). S'il nous aime, rien ne peut procurer de plus grande joie que de répondre à son amour (1 Jean 4.19). A ceux qui se préoccupent uniquement d'acquérir des vêtements, de la nourriture et un toit, Jésus a dit : « Votre Père qui est au ciel sait que vous en avez besoin. Préoccupez-vous d'abord du royaume de Dieu et de la vie juste qu'il demande, et Dieu vous accordera aussi tout le reste. » (Matthieu 6.32-33) Remarquez qu'il ne s'agit pas simplement d'avoir une relation avec Dieu, mais bien de chercher son royaume. Il s'agit de passer du temps en communion avec lui pour comprendre sa perspective de la vie.

Une autre priorité couramment citée est la famille. La conviction que Dieu l'a désignée, avec le mariage, comme la cellule la plus fondamentale de la société lui confère une extrême importance. Dans la cellule familiale, nous reconnaissons que le mariage est plus fondamental que la relation parent-enfant. Le mariage est une relation intime qui perdure pour la vie, alors que la plupart des enfants finissent par quitter le nid pour bâtir leur propre union. La qualité de la relation conjugale est également capitale parce qu'elle influence énormément la relation parent-enfant.

Une troisième priorité est la vocation professionnelle. Certains désapprouveront peut-être le fait de la citer distinctement puisqu'un individu ne peut être justement lié à sa famille sans pourvoir financièrement à ses besoins (1 Timothée 5.8). Toutefois, les priorités étant étroitement mêlées, cette critique peut s'appliquer à toutes les listes en la matière. J'ai donc choisi de citer la vocation professionnelle parce qu'elle consomme une part non négligeable de notre temps. Les Écritures soulignent aussi son importance (Genèse 1.28 ; 2 Thessaloniciens 3.10). La tension est fréquente entre la vie de famille et les activités professionnelles. Apprendre à équilibrer ces deux priorités exige donc une certaine assiduité.

La plupart des chrétiens inscriraient aussi sur leur liste leur implication dans la vie de leur église, qui correspond au prolongement de notre relation avec Dieu (Matthieu 28.18-20 ; Hébreux 10.24-25). L'église est le contexte dans lequel nous servons Dieu parce que nous le connaissons et l'aimons. Il a donné à chaque chrétien des dons spirituels et il désire que nous les utilisions pour améliorer la vie d'autres chrétiens et pour faire connaître Jésus-Christ (Matthieu 4.10 ; 1 Corinthiens 12.4-30 ; Hébreux 9.14).

Convaincus qu'ils sont façonnés à l'image de Dieu (Genèse 1.27) et que leur corps abrite le Saint-Esprit (1 Corinthiens 6.19-20), nombre de chrétiens conviendraient d'inclure dans leur liste de priorités le souci de leur santé physique, émotionnelle et spirituelle. Jésus nous a dit que nous devions aimer notre prochain comme nous-mêmes (Marc 12.31). Celui qui n'accorde pas une attention appropriée à ses propres besoins n'aimera et ne servira pas très longtemps son prochain.

Ces cinq priorités ne constituent pas forcément une liste exhaustive pour le chrétien. On pourrait aussi y ajouter des points tels que le sport, l'éducation, le civisme, l'implication sociale, les activités politiques, etc. L'important est que les deux conjoints réfléchissent à leurs propres priorités et puissent les exprimer honnêtement. Que considèrent-ils comme essentiel dans la vie ? Quels sont les cinq ou dix points les plus importants pour eux ? Il leur sera difficile d'atteindre leurs priorités si elles n'ont pas été préalablement définies.

Quelle doit être la réaction de conjoints qui constatent qu'en réalité, ils sont en profond désaccord sur ces priorités ? Ainsi, un mari pourrait estimer que sa carrière professionnelle prime sur le temps passé en famille. A ce stade de sa vie, il pense qu'il doit investir plus de temps, d'énergie et d'efforts dans sa carrière. Sa famille devra jouer un rôle secondaire jusqu'à ce qu'il atteigne ses objectifs professionnels.

Si des conjoints sont en désaccord, ils doivent avant tout se rappeler que personne ne peut imposer ses priorités à autrui, pas même à son partenaire. Nous ne pouvons contraindre l'autre à adopter notre point de vue. Si l'écart entre nous est grand au regard de nos listes respectives, nous devons le reconnaître et chercher un compromis respectueux.

Traditionnellement, les chrétiens ont tendance à énumérer leurs priorités dans l'ordre suivant : (1) Dieu, (2) la famille, (3) la vocation professionnelle, (4) l'église, (5) l'enrichissement personnel et (6) les autres relations et activités. Toutefois, ce n'est pas l'unique classement possible. Il y a quelques années, un ami m'a présenté une illustration que j'ai trouvée très utile. Elle fait appel à la main. Le pouce représente ma relation et ma communion avec Dieu. Mes autres priorités sont symbolisées par les quatre doigts. Tel le pouce qui agit en combinaison avec chacun des quatre autres doigts, ma relation avec Dieu influencera toutes les autres priorités de ma vie. Si je progresse dans ma compréhension de Dieu et dans mon intimité avec lui, je deviendrai plus efficace dans la poursuite de mes objectifs par rapport à ma famille, ma profession, ma vie d'église et mon épanouissement personnel. Je puise en Dieu, non seulement la sagesse, mais aussi la puissance d'accomplir mes autres priorités.

Soumis chaque jour à Jésus, je peux consacrer plus de mon temps et de mon énergie à n'importe laquelle des quatre autres priorités. Ainsi, si l'index représente l'épanouissement personnel et qu'aujourd'hui, je suis malade, la majeure partie de mon temps et de mon énergie sera consacrée à me rendre chez le docteur et à me soigner comme il se doit. Je ne considère pas pour autant que mon bien-être personnel importe plus que ma famille ou ma profession. Il se trouve simplement qu'en ce jour particulier, je dois investir du temps et de l'énergie pour prendre soin de moi.

Le pouce, qui symbolise Dieu, agit en combinaison avec chacun des autres doigts. Si ma communion avec Dieu est solide, je peux m'appuyer sur lui pour déterminer quelle doit être ma priorité à tout moment de la journée ou de la semaine. Si le mariage et la famille sont l'une de mes priorités, et qu'aujourd'hui est le jour de notre anniversaire de mariage, il est très probable que Dieu voudra me voir consacrer une part significative de mon temps et de mon énergie à fêter notre union. Envisagée de cette façon, il est évident que la communion avec Dieu devient extrêmement importante parce qu'elle a un énorme impact sur l'attention portée aux autres priorités de la vie.

Quand un couple prend le temps d'identifier ses priorités, il peut améliorer la qualité de sa communication et de son intimité. Paul, que j'ai rencontré lors d'un séminaire, m'a confié : « Quand ma femme et moi avons pris le temps de noter nos dix priorités dans la vie, j'ai été surpris de constater à quel point nos listes étaient semblables. Nous nous disputions énormément et nous commencions à craindre d'être incompatibles. Cette démarche nous a ramenés vers nos fondations et nous a aidés à nous concentrer à nouveau sur les aspects vraiment essentiels de l'existence. » Paul et son épouse ont pu constater à quel point il est utile d'identifier expressément ses priorités respectives.

Fixer des objectifs

Nos priorités correspondent à des catégories générales et indiquent ce que nous jugeons primordial dans la vie. Les objectifs, par contre, sont des tremplins pour nous aider à concrétiser nos priorités. Ainsi, puisque ma communion avec Dieu occupe le haut de ma liste et qu'elle influence la qualité de ma vie dans tous les autres domaines, j'ai choisi de me fixer pour objectif de passer du temps avec lui chaque jour. Ce moment de communion me permet d'améliorer ma relation avec Dieu en entretenant la vitalité de nos rapports. Un autre objectif dans ce domaine consiste à assister chaque semaine au culte dominical, où je peux louer Dieu, écouter les principes bibliques et réfléchir à leurs applications dans ma vie. Remarquez que ces deux « règles » sont mesurables. Autrement dit, je peux facilement déterminer si je les respecte ou non, ce qui caractérise toujours un bon objectif.

Si le développement de bonnes relations familiales est l'une de mes priorités, mes objectifs se traduiront par des principes précis en la matière, que j'ai listés ainsi :

- Partir en vacances en famille au moins une fois par an.
- Respecter un moment de culte quotidien en famille.
- Prier avec chaque enfant avant le goûter.
- Chaque membre de la famille assume certaines responsabilités ménagères adaptées à son âge.
- Organiser de façon hebdomadaire un temps spécial en famille pour partager les besoins et les difficultés de chacun.

Je pourrais poursuivre et énumérer jusqu'à quinze ou vingt points semblables pour développer de bonnes relations familiales. Remarquez que chacun d'entre eux est suffisamment concret pour déterminer si oui ou non il a été accompli. Par exemple, « J'aimerais que l'entente familiale s'améliore » n'est pas un objectif bien défini. Comment saurez-vous si vous vous entendez mieux ? Les objectifs doivent être mesurables et réalisables, et non exprimer simplement de vagues désirs.

Dans la plupart des professions, la définition d'objectifs est monnaie courante. Le concept nous est familier et nous nous fixons régulièrement des buts pour les atteindre avec plus d'efficacité. Bon nombre d'entre nous n'en ont pourtant jamais établis dans le cadre de leur relation conjugale. Si développer l'intimité est l'une de nos priorités, le moyen le plus pratique d'y parvenir consiste à définir des objectifs réalistes et mesurables. Pour ce faire, il faut chercher à répondre à ces questions :

- Qu'est-ce qui améliorerait notre relation conjugale ?
- Qu'aimerions-nous tous les deux concrétiser dans notre mariage ?
- Quel genre d'activité permettrait d'entretenir la vitalité de notre couple ?
- Un temps de partage quotidien améliorerait-il notre relation ?
- A quelle fréquence aimerions-nous sortir dîner ?
- A quelle fréquence aimerions-nous avoir des relations sexuelles ?

• A quelle fréquence aimerions-nous partir le temps d'une journée ou d'un week-end ?

En répondant à ce genre de questions, nous développerons des objectifs spécifiques et le respect de nos priorités deviendra plus concret. Nous sortons ainsi de la sphère du « J'aimerais que mon mariage soit plus heureux » pour parvenir à des étapes pratiques qui amélioreront notre union.

Vous éprouverez des difficultés à convenir de certains objectifs. Par exemple, il se peut que votre conjoint désire un temps de partage chaque jour de la semaine, alors que de votre côté, vous jugez cette fréquence irréaliste et estimez préférable de vous fixer de prendre ce temps trois ou cinq fois par semaine. Dans ce cas, il est important que chacun d'entre vous écoute l'autre et soit prêt à négocier, en se rappelant que de petits progrès valent mieux qu'aucun progrès du tout. Il est souvent nécessaire d'avancer à petits pas vers la croissance conjugale avant de pouvoir accomplir de grandes enjambées.

Les individus généralement très organisés, fortement motivés et perfectionnistes auront tendance à vouloir tout ou rien. Ils voudront tout faire dans les règles de l'art. Ils voudront connaître un « mariage parfait » et éprouveront parfois des difficultés à accepter des compromis. En réalité, la croissance conjugale se forge lentement. A cet égard, nous créons un contexte beaucoup plus favorable si nous exprimons notre appréciation envers les progrès que notre conjoint est prêt à accomplir au lieu de le condamner pour ne pas vouloir en faire davantage. Personne n'apprécie la condamnation ; nous aimons tous les compliments sincères. Il est souvent préférable de définir un objectif moins ambitieux mais réaliste, et de se réjouir de sa concrétisation, plutôt que viser une cible plus éloignée, mais irréalisable, et d'avoir l'impression d'être nul parce qu'elle n'a pas pu être atteinte.

Si l'objectif n'a pas été exprimé et reste secrètement dans l'esprit d'un seul des conjoints, il risque d'y avoir conflit et déception, car l'un des partenaires travaille à sa concrétisation tandis que l'autre en est totalement inconscient et n'y voit que l'expression des exigences de son conjoint. Si nous convenons ensemble d'un objectif parce que nous l'estimons digne de notre temps et de notre énergie, nous sommes bien plus susceptibles de l'accomplir. Il est très possible que votre conjoint et vous n'ayez jamais discuté ni convenu de la fréquence à laquelle vous aimeriez pouvoir exprimer votre amour sexuellement. Chacun d'entre vous nourrit un objectif personnel, mais si vous n'en avez pas parlé, il sera source de conflit. En cas de désaccord, vous pouvez négocier. Le compromis ainsi obtenu représentera déjà un pas dans la bonne direction, même si le choix fait ne correspond pas exactement au désir de chacun.

L'importance de cette démarche ne doit pas être sous-estimée. En considérant votre vie, vous découvrirez probablement que la majeure partie de ce que vous avez accompli résulte d'objectifs que vous vous étiez fixés. Vous ne les aviez peut-être pas formulés par écrit, mais vous les aviez adoptés intérieurement et vous avez travaillé pour les mener à bien. Les mariages qui jouissent de l'intimité la plus profonde sont ceux dont le couple adopte des objectifs spécifiques, réalistes et mesurables, et travaille à les concrétiser.

Les objectifs mettent les conjoints sur la même longueur d'onde et les aident à travailler en harmonie. J'ai rencontré Kathy lors d'un séminaire pour couples. Mon exposé avait porté sur les cinq langages de l'amour et elle avait reconnu dans les « moments de qualité » son principal langage. Elle se sentait surtout aimée par son mari quand ils pouvaient tous deux se consacrer une attention réciproque totale. A la fin de notre session, elle m'a confié : « Quand mon mari et moi nous sommes fixé pour objectif de nous promener ensemble tous les mardis soirs après le dîner, ma vie en a été transformée. J'avais l'impression de revivre nos fiançailles. Auparavant, je commençais à me sentir peu importante à ses yeux. Quand je lui demandais s'il voulait se promener, il avait généralement autre chose à faire. Je me sentais rejetée. Aujourd'hui, il a inscrit notre rendez-vous dans son agenda. Nous n'avons manqué qu'une seule sortie en trois mois, parce qu'il était malade. Je ne pense pas que cette promenade signifie autant pour lui que pour moi. C'est d'ailleurs ce qui me rend si heureuse : il est prêt à faire quelque chose qui me donne l'impression d'être aimée.» Kathy et son mari, Claude, s'étaient fixé des objectifs et en récoltaient les fruits.

৬

La définition de priorités et le fait de se fixer des objectifs réalistes sont deux moyens efficaces de se préparer à stimuler la croissance conjugale. En leur absence, votre mariage évoluera sans doute avec le temps, mais votre croissance sera minime au fil des années.

Je vous encourage à définir ensemble cinq à dix priorités pour votre vie. Instaurez ensuite une rencontre hebdomadaire qui vous permettra de fixer des objectifs réalistes pour les concrétiser. Un couple armé d'un tel plan se rapprochera bien davantage de l'intimité que des conjoints qui se laissent porter par le courant de la vie.

En lisant cette suggestion, si vous vous dites : « Je n'ai pas de temps pour une planification hebdomadaire », le chapitre suivant vous est tout spécialement destiné.

Chapitre 12

Prendre du temps pour l'important

Dieu ignorait-il à quel point nous serions occupés ? Pourquoi ne pas avoir inscrit plus de vingt-quatre heures dans une seule journée ? Chercherions-nous à en faire plus que Dieu n'a prévu pour nous initialement ? Une nuit, alors que ma femme et moi rentrions d'un camp de jeunes, je remarquai : « D'une certaine façon, je pense que Jésus était moins débordé que nous. » A la lecture des Évangiles, Jésus m'apparaît très actif mais jamais pressé, toujours occupé à faire le bien sans jamais sembler surmené. Je me dis souvent qu'il avançait sans doute à un rythme différent. Serions-nous davantage influencés par notre culture que par Jésus ? Avons-nous substitué l'activisme à l'efficacité ? Jadis, les gens avaient le temps de se rendre visite, de prendre leurs repas en famille, d'aller à l'église ensemble et d'assister aux funérailles de leurs amis.

Bien sûr, nous disposons depuis un siècle de gadgets de plus en plus nombreux pour gagner du temps. Machine à laver, sèche-linge, ouverture automatique des portes de garage, micro-ondes, ordinateurs portables, ouvre-boîtes électriques, machines à coudre, télécommandes, répondeurs téléphoniques et lave-vaisselle : autant d'équipements conçus pour nous permettre de gagner du temps. Plutôt ironique, non ? Qu'avons-nous fait de tout ce temps gagné ? Certains sociologues pensent que les progrès technologiques ont encouragé l'individualisme et l'isolement, et nous ont amenés à concentrer nos efforts sur notre réussite personnelle, en oubliant le concept de la réussite familiale.

Le chrétien sait que le sens ultime de la vie est de nature relationnelle : d'abord, notre relation avec Dieu, puis avec les autres individus. Au niveau humain, la relation conjugale a été conçue par Dieu pour être la plus intime, suivie de près par celle qui unit le parent et son enfant. Certains d'entre nous mènent pourtant des activités qui n'ont pas grand-chose à voir avec l'édification du mariage et des relations familiales. Nous éprouvons bien des bouffées de culpabilité de temps en temps, mais elles restent manifestement trop faibles pour nous pousser à briser ce cycle infernal. Si vous êtes victime du stress lié au manque de temps (et c'est notre cas à tous dans une certaine mesure), permettez-moi de vous encourager à lire attentivement ce chapitre.

Avant de vous soucier de votre gestion du temps, vous devez avoir défini vos objectifs pour votre mariage. Si vous avez décidé que votre relation conjugale était l'une de vos priorités et si vous avez fixé des objectifs que vous aimeriez atteindre cette semaine, ce mois ou cette année, vous trouverez le temps de les accomplir. Et je souligne : « *Trouver* le temps. » Nous disposons tous de 1440 minutes par jour. Leur utilisation dépend de nous. Vous avez peut-être l'impression que votre emploi du temps vous est imposé par votre entourage et les situations de la vie courante : votre employeur, vos enfants, votre église, vos voisins et votre robinet qui fuit. Il est vrai qu'une bonne partie de nos journées est ainsi déjà accaparée. Votre emploi vous soumet forcément à des horaires précis, vous choisissez de réparer votre robinet vous-même ou d'appeler un plombier, etc.

« Je sais que je devrais…, mais je n'ai pas le temps. » Avez-vous déjà fait le même constat ? Manquons-nous vraiment de temps pour faire ce que nous impose notre conscience ou notre sens du devoir ? Pour respecter nos obligations morales ? Je pense que tout chrétien répondra non.

Si nous ne parvenons pas à accomplir tous nos « devoirs », il est urgent de réviser notre emploi du temps. Le premier facteur d'échec est le « surengagement » dans des activités qui ne contribuent pas à la réalisation de nos objectifs. Gérer notre temps consiste avant tout à l'utiliser pour respecter nos priorités.

Le verbe « gérer » indique que c'est à nous qu'il incombe de contrôler notre temps. Souvent, nous préférons nous abuser en nous persuadant qu'il est maîtrisé par notre entourage et les circonstances. Tant que nous nous illusionnerons de la sorte, nos objectifs ne seront pas atteints et nos priorités resteront lettre morte. C'est seulement en gérant notre temps que nous pourrons atteindre nos objectifs, rendre nos priorités effectives et consacrer notre existence à ce que nous jugeons vraiment important.

Les objectifs que vous avez fixés pour votre mariage exigeront du temps, que vous devrez trouver dans les 1440 minutes dont vous disposez chaque jour. Si vos objectifs en valent la peine et vous aident à accomplir ce que vous jugez vraiment important dans la vie, alors ils justifient les efforts que vous consacrerez à la gestion de votre temps.

Analysez votre emploi du temps actuel

Soyons pratiques. Combien de temps vous faudra-t-il pour atteindre les buts que vous vous êtes fixés ? Je vous suggère de noter un délai approximatif en regard de chacun de vos objectifs. Par exemple, combien voulez-vous consacrer à votre moment de partage quotidien ?

La méthode la plus simple pour accomplir des objectifs nouvellement établis consiste à sonder les plages horaires qui ne sont pas déjà occupées par des activités régulières. Certains conjoints diront : « Voilà bien le problème. Je n'ai pas de temps libre. » Ce qui m'amène à ma première suggestion : analysez l'utilisation de votre temps. Certains d'entre nous éprouvent une aversion pour ce genre d'examen dans le cadre professionnel parce qu'ils ont l'impression que leur chef s'en sert pour les contrôler. Cette fois, pourtant, l'exercice ne concerne que nous-mêmes. Il vise seulement à prendre conscience de la façon dont nous dépensons notre temps afin de déterminer si nous pouvons opérer des changements. Il s'agit ici de notre vie et nous sommes personnellement responsables de la gérer. Dès lors, cette analyse individuelle ne devrait pas nous paraître menaçante.

Prenez une feuille de papier et notez toutes les heures de la journée dans la colonne de gauche. Je vous suggère de la faire démarrer à minuit. Puis, sur sept colonnes vers la droite, indiquez les jours de la semaine, du lundi au dimanche. En face de chaque heure de la journée, notez ensuite comment vous utilisez généralement cette plage horaire. Pour vous aider, songez à vos activités de la veille. Depuis l'heure de votre réveil jusqu'à l'heure de votre coucher, résumez ce que vous avez fait.

Après avoir effectué seul cette petite étude, comparez vos notes à celles de votre conjoint. Si votre objectif consiste à trouver un quart d'heure par jour pour un temps de partage, cherchez le meilleur moment sur vos deux grilles. En cas de besoin, modifiez vos grilles pour atteindre votre objectif.

La première étape pour opérer les changements nécessaires consiste à visualiser clairement l'utilisation actuelle de chaque heure de la journée. Certains trouveront cette analyse beaucoup plus aisée que d'autres parce que leur vie est mieux réglée. Les exigences temporelles liées à certaines professions sont par nature beaucoup plus prévisibles. Un fonctionnaire aux horaires fixes établira plus facilement son emploi du temps qu'une infirmière ou un musicien. Par contre, les horaires professionnels malléables offrent plus de liberté pour inscrire des moments de qualité en plein cœur de la journée.

Que pouvez-vous éliminer ?

On a demandé à des conjoints ayant six enfants : « Comment parvenez-vous à tout assumer ? » Ils ont répondu : « Mais nous n'y parvenons pas ! » Le fait est qu'aucun d'entre nous ne peut tout faire. Parmi toutes nos activités potentielles, nous devons déterminer les plus importantes.

Si votre examen vous a révélé que vous disposiez de peu de

temps libre, vos objectifs nouvellement fixés seront plus difficiles à atteindre parce que vous devrez d'abord éliminer une activité. Or, nous sommes des créatures d'habitudes et il n'est pas toujours facile de renoncer à nos occupations familières. Cependant, si nos objectifs correspondent à nos obligations morales, nous ne manquerons pas de libérer du temps pour veiller à les concrétiser.

La question clé pour choisir ce qu'il convient de supprimer est : « Qu'est-ce qui, dans mes habitudes, ne correspond pas à mes priorités ? » Si vous pouvez répondre à cette question, vous avez identifié une activité susceptible d'être éliminée. Il peut s'agir d'occupations saines et agréables, mais si elles ne vous aident pas à accomplir vos objectifs dans la vie, vous aurez peut-être à prendre certaines décisions difficiles.

Quand des conjoints notent leurs horaires quotidiens et cherchent à repérer les activités qui ne les aident pas à accomplir leurs objectifs, l'écueil le plus manifeste est le temps passé devant la télévision. Certains éprouvent d'énormes difficultés à réduire leur consommation télévisuelle. Accros à leur insu, ils se sentent mal à l'aise et passeront même par une phase de repli sur eux-mêmes s'ils éliminent une part significative de leurs programmes télévisés. Il est toutefois important de renoncer à des activités marginales pour ménager un espace suffisant à ce qui nous apparaît capital. La douleur sera sans doute réelle, mais les fruits la justifieront amplement. Une relation conjugale intime est bien plus enthousiasmante et épanouissante que n'importe quelle émission télévisée. Je ne suggère pas de renoncer complètement au petit écran. Il permet parfois de se détendre après une dure journée de travail. Mais si nous passons tout notre temps à nous détendre, nous finirons probablement par être détendus, certes, mais nous n'aurons plus de temps à consacrer à l'épanouissement de notre mariage.

Il arrive de tomber dans l'excès télévisuel uniquement par défaut. Notre mariage est morne et sans surprise et, dès lors, nous nous installons devant le petit écran. Après un temps, nous nous familiarisons avec les personnages télévisés et nous avons l'impression de les connaître mieux que notre conjoint ! Pour rectifier la tendance, nous devons prendre conscience de ce qui nous est arrivé, éprouver le désir de connaître une plus grande intimité dans notre mariage et manifester la volonté d'opérer des changements. Remarquez qu'aucun d'entre nous n'a la moindre chance de réussir en voulant contraindre son conjoint à réduire sa consommation télévisuelle. Ce choix est purement individuel. Condamner les habitudes de notre conjoint ne fait qu'élargir le fossé qui nous sépare. Mieux vaut faire bon usage de notre temps en commun plutôt que critiquer l'autre parce qu'il ne nous consacre pas plus d'attention.

Vous constaterez peut-être que vous avez exagérément cumulé de bonnes activités, voire des activités d'église, qui privent d'autres priorités du temps qui leur est nécessaire. Votre tâche consiste alors à décider : « Que dois-je éliminer pour pouvoir consacrer ce temps à une activité encore meilleure ? » Je vous encourage à ne pas vous précipiter et à ne pas renoncer à ces engagements du jour au lendemain, car ce serait irresponsable. Les Écritures sont fermes quant à l'importance de respecter ses engagements (Psaumes 15.4). La plupart des responsabilités sociales et spirituelles sont prises pour une période définie. Mais vous pouvez vous projeter dans l'avenir et convenir qu'au terme de votre mandat actuel à la présidence d'une association de bienfaisance, vous n'accepterez pas de rempiler à ce poste pour une année supplémentaire. Quand cette activité prendra fin, vous aurez plus de temps à consacrer à votre relation conjugale. L'engagement ferme d'un conjoint qui promet d'éliminer certaines occupations dans un délai de trois mois, à cause de son désir de vivre davantage de moments de qualité en couple, ne manquera pas d'influencer positivement l'atmosphère familiale du prochain trimestre. La plupart des conjoints sont disposés à attendre à la perspective d'un changement qui améliorera leur relation conjugale.

Déléguer certaines responsabilités

Certains époux pourraient gagner un temps non négligeable en déléguant simplement des tâches spécifiques aux enfants.

Maman n'a pas forcément besoin de ramasser ou de laver tous les vêtements. Si les enfants sont assez grands pour mettre leur linge dans la machine, ils sont aussi assez grands pour la faire fonctionner. Même de jeunes enfants peuvent apprendre à trier leurs habits. Ce faisant, non seulement vous gagnerez du temps, mais vous formerez vos enfants à assumer des responsabilités. De même, des adolescents peuvent tondre la pelouse et effectuer d'autres corvées ménagères.

Des parents objecteront : « Nous avons essayé de confier des responsabilités à nos enfants, mais ils refusent. » Je propose un « forum familial » une fois par semaine au cours duquel chacun peut faire des suggestions pour améliorer la vie de famille. Quand on donne aux enfants l'occasion d'exprimer librement leurs idées et d'entendre celles des parents, ils sentent qu'ils font partie de la famille et doivent donc en assumer partiellement la responsabilité. J'ai observé que les couples qui pratiquent ce genre de forum obtiennent une réponse beaucoup plus satisfaisante de leurs enfants que les familles où la mère et le père se contentent de fixer des ultimatums sur les corvées à accomplir. Si les enfants peuvent participer à l'analyse des diverses responsabilités qui doivent être assumées dans la maison et peuvent donner leur avis sur ce qui leur paraît juste et équitable dans la répartition des tâches, ils sont davantage susceptibles d'accepter ce qui leur reviendra.

Aux parents qui pensent être défaillants s'ils ne font pas tout pour leurs enfants, je me permets de rappeler qu'un adulte responsable ne voit pas spontanément le jour à dix-huit ans ; il se façonne pendant les dix-huit premières années de la vie. Si les enfants n'ont pas appris comment assumer leurs responsabilités à la maison, ils ne l'apprendront pas davantage à l'université. Nous leur rendons donc un très mauvais service en faisant tout à leur place, sans jamais rien exiger d'eux.

Certains parents n'aiment pas déléguer des tâches ménagères aux enfants parce qu'il faut les former et les contraindre à obéir, ce qui ne permet pas du tout d'épargner du temps, mais en consomme au contraire davantage. Tout dépend de la façon de s'y prendre pour déléguer les responsabilités. S'il a été convenu dans le cadre du « forum familial » que certaines tâches pouvaient être attribuées à l'enfant, il faut aussi envisager les conséquences du non-respect de ses engagements.

Ainsi, si un adolescent reçoit pour mission de tondre la pelouse pour midi un samedi tous les quinze jours, la conséquence de tout manquement consistera, par exemple, à être privé de sorties pendant une semaine. Voilà qui épargne aux parents le besoin de harceler leur enfant à propos de sa corvée. Le sujet ne doit même plus être mentionné. Si l'adolescent n'effectue pas la tâche prévue, il en subira tout simplement les conséquences. Dans ce cadre, la plupart ne failliront qu'une seule fois. S'ils constatent que vous êtes doux, mais fermes quant au respect des punitions prévues, ils apprendront à assumer leurs responsabilités. N'oublions pas non plus que les compliments reçus pour un travail bien fait sont aussi extrêmement motivants pour les enfants.

Une autre manière de déléguer consiste à confier certains travaux ménagers et tâches administratives à une personne extérieure, ce qui nous laisse plus de temps pour notre mariage. Il y a quelques années, nous avons perdu notre jardinier attitré quand notre fils s'en est allé à l'université. Je m'étais habitué à ne plus devoir effectuer cette tâche. Plutôt que m'en charger à nouveau, ma femme et moi avons convenu qu'il serait intéressant de faire appel à un jardinier pour tondre notre pelouse et entretenir notre jardin. Nous avons constaté que le service n'était pas trop onéreux. Cette décision m'a permis de gagner deux heures par semaine.

Dans bon nombre de familles, la femme travaille à l'extérieur du foyer et continue pourtant à assumer seule la préparation des repas et le ménage. Elle est donc littéralement épuisée, elle n'a plus le temps d'entretenir une conversation de fond ni l'énergie d'avoir des relations sexuelles. Peut-être que certaines responsabilités ménagères pourraient être déléguées au mari. La plupart des époux se montreraient disposés à faire la vaisselle ou la lessive pour pouvoir passer des moments de qualité avec leur femme.

Mesdames, si votre mari assume une nouvelle tâche dans la maison, laquelle des réactions suivantes correspondra le plus probablement à la vôtre ?

- Le laisser s'y prendre à sa façon.
- Râler s'il ne s'y prend pas comme vous le voulez.
- Critiquer la manière dont il procède.
- Proposer des conseils non sollicités.
- Manifester votre gratitude.
- Faire quelque chose de gentil pour lui.

Le fait de déléguer une responsabilité à son conjoint, à son enfant ou à une aide extérieure implique forcément que la tâche ne sera pas effectuée exactement à votre manière. Souvenez-vous, l'objectif n'est pas d'atteindre la perfection, mais de ménager du temps pour ce que vous jugez vraiment important.

Planifier

En matière de planification, je ne recommande pas la méthode suivante, utilisée par une dame dont le mari était excessivement pris par son travail et de multiples activités. Ils n'avaient plus déjeuné ni dîné ensemble depuis très longtemps. Sans rien lui dire, elle a pris son agenda pour y inscrire son prénom à midi le mardi suivant. Quelques jours plus tard, elle a constaté que son prénom avait été biffé et remplacé par un rendez-vous d'affaires. Son conjoint n'avait même pas pris la peine de lui en parler. Ces initiatives détournées se révèlent généralement contre-productives.

Par planification, j'entends une approche frontale qui consiste pour les deux conjoints à s'asseoir ensemble avec leurs agendas respectifs et à trouver le moment qui conviendrait le mieux pour un temps de qualité en couple. Il peut s'agir d'une sortie au restaurant, d'une promenade au parc, d'un pique-nique ou d'un week-end à la campagne. Il faut sortir de l'ordinaire. Si ces activités ne sont pas planifiées à l'avance, elles n'ont généralement jamais lieu. Beaucoup de couples ont constaté que prendre un rendez-vous par semaine était le seul moyen de partager régulièrement des moments de qualité. La méthode exige de la discipline, mais elle établit clairement les priorités des partenaires.

Certains pourraient trouver anormal ou offensant de devoir prendre rendez-vous avec leur conjoint, car ils estiment que la spontanéité est indispensable au mariage. Or, dans une société aussi rigide que la nôtre, si nous ne planifions pas du temps de qualité avec notre conjoint pour communiquer, faire l'amour, discuter de nos problèmes et les résoudre, nous ne concrétiserons nos objectifs que sporadiquement. La planification ne doit donc pas être perçue négativement. Le fait que notre conjoint se soucie assez de nous pour prévoir cette activité ou ce moment de qualité est encourageant d'un point de vue émotionnel. Rien ne nous empêche malgré tout de rester spontanés dans la façon dont nous utilisons notre temps en commun. Le fait de prendre rendez-vous vise seulement à s'assurer que le créneau horaire reste disponible.

Je me souviens d'une épouse qui m'a confié : « J'étais allergique à la moindre forme de planification en ce qui concerne notre vie sexuelle. J'avais toujours pensé que cet aspect de notre relation devait rester vraiment spontané. Mais quand j'ai pris conscience que nous n'avions plus fait l'amour depuis trois mois, j'ai compris que la méthode spontanée ne fonctionnait pas. Aujourd'hui, nous planifions nos moments ensemble et nous sommes beaucoup plus créatifs pour nous préparer à ce rendez-vous d'amour. » Quel que soit l'objectif, le moment consacré à sa planification augmente la probabilité de le voir se concrétiser.

Encourager les moments de solitude

Si vous veillez à favoriser le temps réservé à votre duo, ne négligez pas pour autant le besoin pour chacun d'entre vous de se ménager des moments de solitude pour prier et réfléchir. Nous ne pourrons enrichir notre conjoint que si nous nous enrichissons nous-mêmes. Les conjoints doivent donc collaborer pour permettre à chacun de passer du temps seul dans la réflexion personnelle.

Les Écritures rapportent que Jésus se mettait fréquemment

à l'écart pour un temps de recueillement (Marc 1.35 ; Luc 4.42 ; 5.16). Si c'était important pour lui, cela ne l'est certainement pas moins pour nous. Pour rester éveillés sur le plan émotionnel, spirituel et physique, nous avons tous besoin de moments de solitude pour réfléchir, lire, marcher, humer le parfum des roses, prier ou pratiquer toute autre activité que nous trouvons intéressante et nourrissante.

La collaboration peut consister à garder les enfants pour que votre mari ait tout le loisir de rester seul, ou à encourager votre femme à laisser le ménage en suspens pour faire ce qui lui plaît vraiment. Nous avons tous besoin de tels moments de solitude. Les conjoints qui s'encouragent et se soutiennent à cet égard améliorent forcément la qualité des moments passés ensemble.

や

Dans ces deux derniers chapitres, nous nous sommes concentrés sur les moyens de surmonter l'obstacle du temps pour développer la communication et l'intimité. Il faut toutefois reconnaître qu'en réalité, ces barrières temporelles sont parfois des barrières émotionnelles. Nous disons : « Je n'ai pas le temps », mais en réalité, nous ne désirons pas passer du temps ensemble pour des raisons émotionnelles. Nous sommes peut-être furieux à cause d'un acte de notre conjoint, ou nous craignons l'intimité, et ne cessons de fuir. Comme l'avoue une épouse : « Tant que je suis active, il lui est difficile de me parler, de m'embrasser ou de se rapprocher de moi. » Ce genre de blocage ne peut être traité par la gestion de notre temps. Nous nous y arrêterons plus particulièrement dans les chapitres suivants.

Chapitre 13

Identifier
nos différences

Avant de se marier, Pierre songeait combien il serait merveilleux de s'éveiller chaque matin et de prendre le petit déjeuner en compagnie de son épouse. Après le mariage, il a découvert que Carine n'était pas du matin. Il rêvait de randonnée et de camping sauvage, mais il a rapidement compris que sa femme préférait l'hôtel. Il croyait aux vertus de l'épargne et il avait d'ailleurs pu payer en liquide la modeste bague de fiançailles offerte à Carine. Cette dernière se conformait plutôt au principe suivant : « Achetons aujourd'hui, car demain nous mourrons. » Pierre pensait qu'il existait une réponse rationnelle à tout problème. Son expression préférée était « Réfléchissons-y », à quoi Carine répondait : « J'en ai assez de réfléchir. Pourquoi ne pas nous contenter de faire ce que nous voulons, pour une fois, sans même y réfléchir ? »

Les opposés s'attirent

Pour la plupart, nous nous identifions aisément à Pierre et Carine. Notre façon de réfléchir, d'agir et d'aborder la vie en général est assez différente de celle de notre conjoint. Certains vont jusqu'à dire : « Nous sommes différents à pratiquement tous les égards. Nous sommes comme le jour et la nuit. Notre couple est un mystère. » Tous les époux n'affichent pas forcément des différences aussi marquées, mais nombreux sont ceux qui peuvent d'emblée identifier plusieurs points de divergence.

Bon nombre de nos traits de caractère ont été forgés au fil de notre éducation, comme nous l'avons vu au chapitre 6. Nous avons observé nos parents, qui nous ont servi de modèles, et nous nous sommes identifiés à eux en réagissant à la vie de façon similaire ; ou alors nous avons délibérément choisi d'adopter l'attitude opposée, par réaction à ce que nous avons jugé négatif. Chacun d'entre nous a donc développé une façon unique de réagir à la vie sur le plan émotionnel, social, intellectuel et spirituel.

Nos différences s'expliquent aussi par notre identité de créatures de Dieu. En effet, ce dernier est infiniment créatif. Aucun être humain n'est exactement semblable à un autre. Nous sommes tous des exemplaires originaux. Il a fait de nous des êtres uniques pour que nous puissions nous compléter. Ainsi, en amour, nous avons été attirés par un être différent. Elle est extravertie, il est timide. Il passe sa vie au bureau, elle aime s'amuser. Il est dépensier et la couvre de jolis cadeaux qui lui donnent le sentiment d'être spéciale à ses yeux parce qu'elle a personnellement tendance à se montrer radine. Les opposés s'attirent. Nous sommes généralement séduits par des êtres qui complètent notre personnalité.

Certaines de nos différences trouvent leur origine dans les rôles imposés aux hommes et aux femmes par la société. Ainsi, la société occidentale apprend aux hommes qu'ils doivent cacher leurs émotions, tandis que les femmes sont encouragées à donner libre cours à leurs sentiments. Des recherches ont montré que hommes et femmes ont tendance à respecter ce modèle culturel. Des milliers d'individus font cependant exception, ce qui indique qu'il ne s'agit pas d'une caractéristique liée au genre, mais bien d'une façon d'être imposée par la société.

En résumé, nous sommes différents parce que nous sommes les créatures d'un Dieu infiniment créatif, parce que nous grandissons dans un contexte familial unique, parce que nous avons appris à remplir des rôles culturels et sexuels distincts et parce que nous sommes influencés par notre identité génétique propre.

Quelques exemples d'opposés

Je ne peux pas deviner les différences spécifiques qui caractérisent votre mariage, mais je sais qu'elles existent. Dans ce chapitre, je voudrais partager certaines des divergences observées depuis trente ans dans le cadre de mon ministère de conseiller. Je pense que vous pourrez vous identifier à certaines d'entre elles. J'ai attribué certains traits de caractère aux femmes et d'autres aux hommes, mais gardez à l'esprit qu'ils sont parfaitement interchangeables.

Le lève-tôt et la noctambule

Quand Jacques s'est marié, il pensait que Suzanne et lui se coucheraient chaque soir ensemble vers 22h30, qu'ils feraient l'amour ou se réjouiraient simplement d'être ensemble avant de s'endormir. Mais Suzanne n'avait jamais rêvé d'aller au lit à 22h30. En réalité, le meilleur moment de la journée pour elle se situe entre 22h et minuit. C'est là qu'elle aime lire, peindre, jouer et dépenser son énergie. Suzanne est noctambule. Le monde en est rempli, hommes et femmes. Très souvent, ils sont mariés à des lève-tôt, dont le moteur s'éteint à 22h et se rallume à 6h. Alors que la personne matinale bondit avec enthousiasme hors du lit, prête à embrasser joyeusement la nouvelle journée, le noctambule se recroqueville sous les couvertures et maugrée : « C'est sûrement une plaisanterie. Il faut être fou pour se réjouir si tôt le matin ! »

Avant le mariage, le couche-tôt recharge ses batteries au contact du noctambule. Jacques raconte : « Suzanne est la seule personne qui ait jamais réussi à me tenir éveillé après 22h. J'ai su alors que je devais être amoureux d'elle. » Avant le mariage, Suzanne l'avait prévenu : « Ne m'appelle pas le matin ; ce n'est pas le bon moment pour moi. » Jacques s'était amoureusement conformé à sa requête, sans se douter à quel point elle pouvait se montrer grincheuse avant midi.

La Mer morte et le torrent babillard

Si la géographie d'Israël vous est familière, vous savez que la Mer de Galilée coule vers le sud par le Jourdain, qui se jette ensuite dans la Mer morte. La Mer morte, elle, ne va nulle part. Beaucoup d'entre nous possèdent une personnalité qui peut être comparée à l'activité de cette mer. L'individu qui en est doté enregistre toutes sortes de pensées, d'émotions et d'expériences au fil de la journée. Il possède un immense réservoir où il stocke le tout et se montre parfaitement heureux de ne parler de rien. Si vous demandez à une personne de type « Mer morte » : « Qu'est-ce qui ne va pas ? Pourquoi ne dis-tu rien ce soir ? » elle répondra probablement : « Tout va bien. Pourquoi poses-tu cette question ? » Elle est d'ailleurs parfaitement sincère, parce que ne rien dire la satisfait pleinement.

A l'extrême opposé se trouve l'individu dont la communication ressemble à un torrent babillard. Pour lui, tout ce qui entre par l'œil ou l'oreille doit forcément ressortir par la bouche, généralement en moins de soixante secondes. Peu importe ce qu'il voit ou entend, il le raconte. Si le « torrent babillard » est seul à la maison, il (elle) appelle un(e) ami(e) au téléphone : « Tu sais ce que je viens de voir ? Tu ne devineras jamais ce que je viens d'entendre ! » Aucun réservoir, bien sûr, chez une telle personne : quels que soient le détail ou l'expérience, il lui faut en parler.

Il arrive souvent qu'une personne de type « Mer morte » en épouse une de type « torrent babillard ». Avant le mariage, elles trouvent leurs différences séduisantes. En effet, pendant les fiançailles, la « Mer morte » peut se détendre, car elle n'a pas à se torturer pour savoir comment entamer ou entretenir la conversation. Il lui suffit de s'asseoir, acquiescer et répéter : « Hmm, hmm ». Le « torrent babillard » fait tout le travail. De son côté, celui-ci trouve son interlocuteur tout aussi attirant parce qu'il se révèle excellent public. Mais après cinq années de mariage, le bavard constate : « Nous sommes mariés depuis cinq ans et je ne connais pas mon conjoint. » Parallèlement, le silencieux se dit : « Je connais trop bien mon conjoint. Je voudrais qu'il (elle) arrête de parler et me laisse respirer. »

La fée du logis et l'empereur du désordre

« Je n'ai jamais rencontré quelqu'un de plus désordonné que Marc », constate Isabelle. Combien de femmes ont fait le même constat à propos de leur mari moins d'une année après le mariage ? Il est intéressant de souligner que cette particularité ne dérangeait pas Isabelle auparavant. Elle avait sans doute remarqué que la voiture de Marc était parfois sale ou que son appartement n'était pas aussi ordonné qu'elle l'aurait voulu, mais elle en concluait que Marc était plus cool qu'elle et elle s'en réjouissait, en s'efforçant de se lâcher un peu. Marc, de son côté, observait Isabelle et pensait avoir trouvé la perle rare. « N'est-ce pas merveilleux qu'Isabelle soit si ordonnée ? Désormais, je n'ai plus à me soucier de tout entretenir parce qu'elle s'en occupera. » Trois ans plus tard, Marc se voit régulièrement lapidé par les remarques acides d'Isabelle et ne comprend pas pourquoi elle s'irrite tant pour quelques chaussettes qui traînent.

Le loup et l'agneau

Le loup croit que chaque jour lui offre une occasion nouvelle de faire progresser sa cause. Peu importe ce qu'il veut, il se démène pour l'obtenir. Il frappe à toutes les portes, il saisit toutes les occasions et il entreprend tout ce qui est humainement possible pour parvenir à ses fins dans la vie. De son côté, l'agneau reste passif et analyse, se demandant : « Qu'est-ce qui se passerait si… ? » et attendant toujours que survienne un événement positif.

Avant le mariage, ces traits de caractère attirent les deux individus l'un vers l'autre. Le loup s'émerveille du calme, du détachement et de la maîtrise de son futur conjoint au beau milieu des tempêtes de la vie. Comme l'agneau est rassurant et stable ! Ce dernier, par contre, apprécie l'agressivité du loup et se réjouit qu'il dresse des projets et des plans pour leur avenir. Une fois marié, le couple finit par trouver ces caractéristiques difficiles à vivre. Le partenaire agressif veut sans cesse pousser son conjoint passif à l'action, alors que celui-ci répète sans fin : « Tout ira bien. Ne t'excite pas tant. Tout va s'arranger. »

Le planificateur et la spontanée
Dans ce cas, l'un des partenaires est organisé et l'autre spontané. Le planificateur prépare ses vacances des semaines à l'avance : il consulte la carte, trace l'itinéraire, effectue les réservations, planifie, boucle les valises... La spontanée attend la veille du départ et s'écrie soudain : « Pourquoi ne pas aller à la plage plutôt qu'à la montagne ? Le soleil est si radieux et le temps si doux. » Le planificateur s'affole et les vacances se transforment en cauchemar.

Avant le mariage, Patricia était impressionnée par les capacités d'organisation de son mari, Simon : « Tu vérifies tes dépenses chaque mois ? C'est formidable ! » Après le mariage, toutefois, elle s'étonne : « Tu veux que je garde tous mes tickets de caisse ? C'est impossible, voyons ! » Et voilà que Simon lui démontre le contraire en exhibant fièrement une pile de tickets, classés par ordre chronologique.

Le professeur et l'artiste
Pour le professeur, toute décision doit être justifiée, alors que l'artiste se laisse emporter par l'intuition. « Pourquoi faudrait-il tout expliquer ? Je ne connais pas toujours les raisons qui me motivent. Je veux pouvoir agir simplement au gré de mes envies. » Avant le mariage, le professeur était fier de l'artiste, et réciproquement. Cependant, lentement mais sûrement, l'absence de logique finit par l'horripiler, tandis que l'artiste se demande comment continuer à vivre avec un être obsédé à ce point par la raison.

« Hélène, écoute-moi. Les murs ne sont pas sales ; ils n'ont pas besoin d'être repeints. Tu comprends ça ? » Et Hélène de répondre : « Oui, je comprends, mais ce vert pomme ne me plaît plus aujourd'hui. » Le professeur éprouve des difficultés à prendre des décisions sur la base de son seul désir. L'artiste ne comprend pas que l'on puisse s'enfermer dans la logique.

Le lecteur et l'enfant de la télé
Le lecteur ne comprend pas que l'on puisse perdre autant de temps devant le petit écran, alors que l'enfant de la télé déplore le retrait silencieux du lecteur. Robert demande : « Pourquoi

ne pas regarder une émission ensemble ? Pourquoi faut-il toujours que tu t'enfermes dans un livre ? Nous pourrions passer des moments agréables si tu regardais certains programmes avec moi. » Gwendoline répond : « Je refuse de regarder ces stupidités. C'est une perte de temps. Je préfère faire fonctionner ma cervelle en lisant. »

Robert et Gwendoline nous offrent une illustration des nombreuses différences associées aux centres d'intérêt. Au lieu de la télévision, il peut s'agir du cinéma, du jardinage, de l'informatique, du sport ou d'un tas d'autres activités. Quand les conjoints nourrissent des intérêts divergents, l'un refuse parfois de comprendre ou de reconnaître la valeur des activités de l'autre. L'amateur de musique classique dira : « Prodigieux ! Ne trouves-tu pas cet Opus n°12 en la mineur formidable ? » à quoi le fan de rock répondra : « Tu appelles ça de la musique ? » Le joggeur dira : « Mon but est de pouvoir gagner le marathon. Qu'il pleuve ou qu'il neige, j'irai courir », à quoi la randonneuse répondra : « Je ne veux pas abîmer mes genoux en courant. J'aime profiter du paysage en marchant. »

La première classe et la classe économique

L'adepte de la première classe veut le meilleur en tout : la plus belle chemise ou la robe la plus élégante, le modèle le plus cher. L'adepte de la classe économique est à la recherche des bonnes affaires. La différence se manifeste très clairement lors de l'achat d'une voiture, par exemple. L'un veut les options, l'autre l'équipement de série. Quand ils sortent pour manger, un sandwich convient à la classe économique, mais la première classe ne mangera pas de sandwich à moins qu'il soit servi sur un plateau d'argent. En voyage, l'un s'accommode parfaitement de la deuxième classe ; l'autre cherche le raffinement. L'un veut épargner pour l'avenir, l'autre préfère profiter du moment présent.

Avant le mariage, la classe économique était séduite par la nature dépensière de la première classe, alors que celle-ci appréciait la prudence de son futur conjoint. Après leur union, la classe économique vit dans la peur de la banqueroute tandis que la première classe ne supporte plus ses incessantes leçons de morale sur les vertus de l'épargne.

– Je voudrais, juste une fois, que tu commandes autre chose que le plat le moins cher du menu, dit Philippe.

– Je pensais que tu serais fier que j'épargne notre argent, répond sa femme Gaëlle.

– J'ai l'impression que tu me considères comme un raté... comme si je ne pouvais pas me permettre de t'offrir quelque chose de qualité, reprend Philippe.

– Mais je l'ignorais complètement... Garçon ! dit-elle en levant la main. Je prendrai plutôt un filet mignon.

Le chrétien assidu et le chrétien du dimanche
Le chrétien assidu a coutume d'assister à toutes les réunions organisées par l'église, le samedi, le dimanche et tous les jours de la semaine. Impossible pour lui de comprendre que l'on puisse uniquement se satisfaire du culte dominical. Le chrétien du dimanche, lui, estime qu'il faut être fanatique pour assister à autant de réunions chaque semaine.

Le chrétien assidu se sent souvent plus mûr sur le plan spirituel, ce qui peut être le cas, mais certainement pas de manière systématique. Qui possède la plus grande maturité spirituelle : la personne qui va à l'église le dimanche seulement, mais qui passe un temps de communion quotidien avec Dieu, applique la Bible à sa vie de tous les jours, prie au fil de la journée et cherche à ressembler à Jésus, ou celle qui va à l'église le dimanche matin, le dimanche soir et le mercredi soir, sans jamais passer de temps seule à seul avec Dieu, sans intercéder dans la prière pendant la semaine et, dès lors, sans connaître de communion avec Dieu en dehors des réunions ? La réponse me paraît évidente.

Certains objecteront que cette illustration est caricaturale. Beaucoup de pasteurs témoigneront pourtant que de nombreux chrétiens omniprésents souffrent de besoins émotionnels énormes et viennent à l'église très souvent pour trouver de l'aide. Ils manquent donc de maturité spirituelle et n'ont pas encore appris à appliquer la vérité biblique à leur mode de vie. Ne voyez pas là une tentative de ma part pour vous décourager de fréquenter les réunions de semaine. Je veux simplement faire remarquer que cette différence d'assiduité ne renvoie pas forcément au degré de maturité spirituelle.

Il est facile pour le chrétien de croire avec orgueil que Dieu est « de son côté ». Si je peux me convaincre que la lecture est une activité plus spirituelle que regarder la télévision, je peux démolir mon conjoint qui se trouve être un enfant de la télé et non un lecteur. Si j'arrive à me persuader que tout enfant de Dieu mérite toujours la première classe, alors je vais accuser mon conjoint de manquer d'assurance spirituelle parce qu'il refuse de quitter la classe économique.

La question n'est pas de savoir si la lecture est plus spirituelle que la télévision. La question porte sur ce que je lis (ou regarde) et sur la façon dont cette activité influence ma relation avec Dieu et mon témoignage auprès d'autrui. Voyager en première classe n'est pas toujours la volonté de Dieu pour ses enfants. L'important est de le servir fidèlement. Nous nous distinguons tous par nos préférences, mais nous avons pour obligation commune de les placer sous l'autorité de Jésus-Christ.

༒

Les traits de caractère décrits dans ce chapitre ne constituent pas une liste exhaustive, mais illustrent simplement quelques divergences courantes entre conjoints. Je vous encourage à dresser la liste des différences observées dans votre propre union. Certaines de celles qui viennent d'être abordées et d'autres sont résumées dans le tableau de la page 140. Il peut vous aider à démarrer. Dans le chapitre suivant, nous verrons comment transformer ces différences en atouts plutôt que les laisser devenir des handicaps.

Personnalités opposées	
Mer morte : Stocke pensées et sentiments. Parle peu.	*Torrent babillard* : Dit tout ce qu'il entend, voit ou pense.
Lève-tôt : Frais et dispos dès le matin. « Le monde appartient à ceux qui se lèvent tôt. »	*Noctambule* : Veille tard dans la nuit et, quand vient le matin, place le panneau « Ne pas déranger » sur sa porte.
Loup : Passionné et volontaire. Fonceur et obstiné. Ne s'arrête pas avant d'avoir atteint son but.	*Agneau* : Attend que l'occasion se présente. « Tout vient à point à celui qui sait attendre. »
Fée du logis : « Une place pour chaque chose et chaque chose à sa place. »	*Empereur du désordre* : « Où as-tu mis ça ? » est sa question la plus fréquente.
Planificateur : Organise. Prévoit et prend soin du moindre détail.	*Spontané* : Ne perd pas de temps à planifier. Règle les détails sur le tas.
Papillon : Virevolte d'un événement à l'autre. La vie est une fête.	*Casanier* : Préfère rester à la maison.
Professeur : « Soyons logiques. » « J'ai besoin d'y réfléchir. »	*Artiste* : « Je ne sais pas pourquoi. J'en ai envie, c'est tout. » « Faut-il toujours tout justifier ? »
Première classe : « La première classe ne coûte que cinq euros de plus. Nous la méritons bien. »	*Classe économique* : « Nous pourrions épargner beaucoup d'argent et puis, la classe économique, c'est déjà très bien. »
Lecteur : « Pourquoi perdre son temps à regarder la télé alors qu'il y a tant de bons livres à lire ? »	*Enfant de la télé* : « C'est ma façon à moi de me détendre. » « Je n'aime pas lire, et puis, je ne regarde pas si souvent la télé. »
Mélomane : « Quelle merveille que cet Opus n°12 en la mineur ! »	*Fan de rock* : « Enfin de la vraie musique. » « Ecoute-moi cette guitare ! »
Joggeur : Adepte de l'aérobic, du jogging, du marathon, peu importe la météo.	*Promeneur* : « Je ne veux pas abîmer mes genoux en courant. Je veux profiter du paysage en marchant. »
Zappeur : « Pourquoi perdre son temps à regarder les publicités ? Je peux regarder trois émissions à la fois si je zappe pendant les pubs. »	*Anti-zappeur* : « Ne pourrait-on essayer d'apprécier une émission au lieu de voir trois programmes par petits bouts ? Sans compter qu'on pourrait parler pendant les pubs. »

Chapitre 14

Transformer
nos différences en atouts

Nos différences peuvent être très néfastes. Elles peuvent aussi se révéler délicieuses. Dernièrement, j'ai trouvé ma femme dans la cuisine à sept heures du matin, ce qui n'était plus arrivé depuis le départ de notre dernier enfant pour l'université. D'abord, je me suis cogné la tête sur la porte du placard qu'elle avait laissé ouvert, puis j'ai heurté du coude la porte du micro-ondes. Je me suis retourné pour prendre un couteau afin d'éplucher un pamplemousse et, ce faisant, je l'ai presque renversée. Je me suis excusé, puis j'ai constaté en toute sincérité : « Tu sais, ma chérie, je suis heureux que tu ne sois pas une lève-tôt. » J'ai soudain compris combien mon attitude avait changé depuis ces jours lointains où je lui en voulais de ne pas bondir hors du lit chaque matin, comme moi. J'avais appris à apprécier le privilège de prendre mon petit déjeuner seul avec Dieu (il ne dort jamais !), de savoir que les seuls placards ou les seuls tiroirs ouverts seraient ceux que j'aurais manipulés moi-même. Non seulement j'étais parvenu à accepter nos différences, mais en plus, j'avais fini par m'en réjouir.

Unité et non uniformité

A votre avis, pourquoi Jésus a-t-il choisi pour disciples douze hommes dotés de personnalités si distinctes ? Je crois qu'il recherchait l'unité plutôt que l'uniformité, ainsi que la complémentarité d'une équipe diversifiée pour accomplir la volonté de Dieu. De même, dans le mariage, il ne faut pas confondre unité et uniformité. Dieu désire que nous devenions un, sans pour autant être identiques. Nos différences nous rendent complémentaires et nous permettent de servir Dieu avec plus d'efficacité ensemble.

Dans la réalité quotidienne du mariage, elles ont malheureusement souvent mené les couples au bord de la folie. Ce n'est assurément pas ce que Dieu souhaite. Les différences font partie de notre humanité. Jamais aucun couple n'en sera dépourvu. La clé consiste à faire d'elles un atout plutôt qu'un handicap. Certaines mesures constructives peuvent être prises pour les amener à nous servir plutôt qu'à nous nuire.

Identifiez avec précision le point irritant

Dans le chapitre précédent, nous nous sommes efforcés d'identifier nos différences. Vous avez probablement constaté combien certains de vos traits de caractère et de vos habitudes vous distinguaient de votre conjoint. La seconde étape consiste à identifier ceux et celles qui vous sont vraiment pénibles. Dans certains domaines, vous avez déjà appris à vivre en harmonie. Ainsi, si vous aimez cuisiner et que votre conjoint aime faire la vaisselle, vous vous réjouirez aisément de vos goûts distincts. Mais quelles sont les différences qui provoquent des disputes ? Quelles sont celles qui persistent à vous irriter ?

Après avoir identifié l'une d'entre elles, essayez de cerner pourquoi exactement elle constitue une entrave à votre bien-être. Supposons, par exemple, que vous êtes un lève-tôt et votre conjoint un noctambule, et que cette différence est un obstacle majeur dans votre vie de couple. En tant que lève-tôt, demandez-vous : « Qu'est-ce qui me dérange précisément ? » Peut-être vous sentez-vous jugé par votre conjoint parce que vous abordez le matin avec enthousiasme. Peut-être éprouvez-vous de la culpabilité parce que vous vous couchez généralement de bonne heure, en renonçant à certaines activités en couple. Peut-être en voulez-vous à votre conjoint parce qu'il refuse de se lever en même temps que vous. Peut-être le trouvez-vous égoïste d'exiger le silence chaque matin pour ne pas être dérangé ou de ne jamais préparer le petit déjeuner. Ou bien, vous êtes frustré de devoir manger seul au lieu de partager le premier repas de la journée avec votre partenaire. Mieux vous pourrez définir ce qui vous heurte, mieux vous serez équipé pour traiter cette différence et trouver une réponse à votre dilemme.

Un mari m'a confié : « Je suis d'une nature agressive et ma femme est plutôt passive. Je peux l'accepter, mais je suis frustré de savoir qu'au bureau, elle ne s'exprime jamais. J'ai l'impression qu'elle laisse son supérieur l'utiliser comme un paillasson et c'est cela qui m'énerve. » Identifier précisément ce qui nous dérange ou nous irrite marque une étape positive dans le processus qui nous permettra finalement de nous réjouir de nos différences.

Cherchez la raison profonde de votre irritation

« Pourquoi suis-je irrité ? Qu'est-ce qui, dans ma personnalité, mon parcours ou mes convictions, m'amène à trouver le comportement de mon conjoint heurtant ? » La plupart du temps, les réponses se situent dans notre passé. On nous a appris à penser et à réagir d'une certaine façon. Dès lors, si notre conjoint n'est pas conforme à nos convictions, à nos règles de vie ou à nos habitudes, nous sommes frustrés. A moins de nous analyser nous-mêmes, ces raisons resteront enfouies dans notre inconscient. Si chacun de nous comprend mieux sa propre personnalité et pourquoi il s'irrite de certaines attitudes, nous serons mieux en mesure de discuter de nos différences et de chercher un moyen d'y remédier.

Ainsi, le mari évoqué ci-dessus comprendra qu'il a été élevé par une mère ou un père agressif, qui lui a clairement transmis qu'il fallait être hargneux pour réussir. « Si tu laisses les gens te marcher sur les pieds, tu ne seras jamais qu'un numéro » est le message émotionnel profondément inscrit en lui. Avec un tel arrière-plan, son irritation devant la passivité de son épouse devient limpide. Il ne veut pas être marié à un « numéro ». En réalité, le problème est une question d'estime personnelle. Des constats de ce type ouvrent vraiment la voie à un dialogue constructif, contrairement aux disputes superficielles, la plupart du temps stériles.

La question est : « Pourquoi suis-je irrité exactement ? » Vous êtes peut-être mécontent de la nature dépensière de votre conjoint parce que vos parents vous ont enseigné à vous montrer économe et que vous avez le sentiment qu'il est mal de trop dépenser. Vous avez peut-être grandi dans une famille pauvre où vous avez manqué de l'essentiel, et vous vivez désormais dans la crainte que cela ne se reproduise si vos enfants et vous ne vous montrez pas prudents. D'un autre côté, vous vous sentez peut-être mal à l'aise de faire ainsi étalage de votre aisance financière, craignant que d'autres y voient un signe de matérialisme. Vous seul pouvez déterminer la raison pour laquelle l'attitude de votre conjoint vous gêne, car vous seul pouvez sonder vos sentiments et identifier leur origine dans votre parcours et votre personnalité.

Dialoguez avec votre conjoint à la recherche d'une solution

Après avoir analysé vos réactions et la nature de votre irritation, vous êtes enfin prêt à en parler à votre conjoint. Souvenez-vous que l'une des clés de la communication consiste à s'exprimer en « je » plutôt qu'en « tu ». Le but est d'expliquer la raison pour laquelle vous trouvez son comportement irritant. Il est essentiel d'accepter l'humanité de son partenaire, c'est-à-dire l'autoriser à être différent et à posséder une sensibilité qui s'accorde avec sa personnalité.

Depuis le début de leur mariage, Robert en voulait à sa femme de ne pas se coucher à ce qu'il estimait « une heure raisonnable ». Quand elle insistait pour regarder la télévision ou lire jusqu'à minuit, il trouvait la situation vraiment pénible. « J'acceptais de veiller tard quand nous nous fréquentions, car c'était pour nous le moyen de rester plus longtemps ensemble. Mais aujourd'hui, nous sommes mariés et elle refuse de passer du temps avec moi », expliquait-il. Son épouse, Sylvie, était profondément irritée par ses reproches. Quand Robert a analysé le problème, il a compris que le véritable motif de son irritation n'avait rien à voir avec le fait qu'elle veille tard, mais qu'il s'agissait plutôt du sentiment de ne pas être aimé parce que ses besoins sexuels n'étaient pas satisfaits. Après avoir ouvertement partagé son problème avec elle, dans la franchise et la compréhension, ils ont conclu ensemble que la solution n'était pas de transformer Sylvie en lève-tôt, mais plutôt qu'elle réponde aux attentes sexuelles de Robert. Elle a continué à se coucher tard et lui à se lever tôt, mais puisque ses besoins affectifs et sexuels étaient comblés, il ne s'endormait plus dans l'amertume, mais bien avec reconnaissance envers sa femme qui savait l'aimer malgré leurs différences. Le processus d'analyse et de clarification nous permet d'exposer nos différences sous un jour nouveau et de nous concentrer sur ce qui nécessite notre attention, au lieu de nous condamner réciproquement.

Certains conjoints consacrent malheureusement toute leur énergie à vouloir changer l'autre. Or, la tentative est pratiquement toujours vouée à l'échec. Si nous acceptons réellement nos différences, cessons de nous condamner mutuellement et concentrons-nous au contraire sur les difficultés engendrées par nos divergences afin de trouver une solution. Nous nous sentirons alors tous deux personnellement acceptés à part entière et non plus critiqués d'être ce que nous sommes.

Le processus décrit n'est pas facile. Les chrétiens disposent toutefois d'une aide extérieure. Jésus a dit : « Vous ne pouvez rien faire sans moi. » (Jean 15.5) Certains se sont efforcés de ne pas laisser leurs différences les séparer, mais ils ont échoué. Nous avons besoin de la sagesse de Dieu pour comprendre et utiliser nos divergences de manière constructive. Les Écritures nous encouragent à demander de l'aide : « Si l'un d'entre vous manque de sagesse, qu'il la demande à Dieu, qui la lui donnera ; car Dieu donne à tous généreusement et avec bienveillance. » (Jacques 1.5) Pour la plupart, nous reconnaissons avoir besoin de sagesse et d'une vision renouvelée sur notre couple. Avant de poursuivre votre lecture, peut-être devriez-vous marquer une pause et demander à Dieu d'utiliser ce chapitre pour vous aider à surmonter les différences que vous n'avez jamais pu résoudre.

Il faut espérer qu'une conversation franche avec votre conjoint vous permettra d'accepter verbalement vos différences réciproques, en dissipant tout esprit de condamnation et de querelle, et en créant des dispositions amicales. Si vous dites : « Je suis prêt à accepter le fait d'être un lève-tôt alors que tu es une couche-tard et le fait qu'aucun de nous ne vaut mieux que l'autre », vous franchissez un pas de géant pour transformer vos différences en sujet de joie. Une fois devenus des amis à la recherche d'une solution, vous êtes plus ouverts à la possibilité d'opérer des ajustements qui rendront vos divergences moins irritantes. « Comment puis-je m'adapter pour te rendre la vie plus facile ? » est une bonne question pour entamer la discussion. Formulez chacun des suggestions spécifiques. Par exemple, le couche-tard pourrait proposer au lève-tôt de chanter gaiement le matin uniquement après avoir quitté la chambre à coucher. Pour progresser, nous n'avons pas à modifier notre penchant naturel, mais à adapter notre comportement pour faciliter la vie de notre conjoint.

Nos différences enrichissent notre mariage

Au bout du compte, le but est de découvrir les avantages de nos différences. Comment pourraient-elles devenir un élément positif dans notre mariage ? Ainsi, le casanier jouira beaucoup plus de la vie s'il mesure tout l'intérêt de la spontanéité du papillon. En le suivant, le casanier vivra de nombreuses expériences stimulantes qu'il n'aurait jamais pu apprécier autrement. De son côté, le papillon pourrait apprendre à se détendre et à apprécier le calme s'il discerne mieux l'intérêt d'une soirée tranquille à la maison. Le casanier et le papillon peuvent améliorer leur existence respective, ce qui est précisément le but poursuivi par Dieu à travers nos différences. Reconnaître nos atouts plutôt que maudire ce qui nous distingue est la clé pour nous en réjouir.

L'une des grandes promesses de la Bible au sujet de la prière se trouve en 1 Jean 5.14 : « Nous avons une pleine assurance devant Dieu : nous savons qu'il nous écoutera si nous demandons quelque chose de conforme à sa volonté. » Si nous prions conformément à la volonté de Dieu, nous avons l'assurance qu'il répondra à nos prières. Si nous demandons à Dieu de nous aider à tirer parti de nos différences, nous prions en définitive pour que sa volonté s'accomplisse. Dieu désire, en effet, que nous apprenions à faire de nos différences des atouts pour notre mariage.

L'Église de Dieu illustre parfaitement cette réalité. Dans 1 Corinthiens 12, Paul indique que Dieu a doté chaque chrétien d'aptitudes et de dons distincts, qui nous ont été donnés « pour le bien de tous » (verset 7). Autrement dit, les dons dispensés par Dieu à chaque chrétien sont destinés au bien commun du corps tout entier. Nous ne sommes pas semblables ; nos aptitudes diffèrent, mais chacun d'entre nous a un rôle essentiel à jouer dans le corps du Christ, constitué par l'ensemble des chrétiens. Nos différences sont appelées à devenir complémentaires. Nous travaillons ensemble comme une seule entité, permettant à chaque chrétien de remplir son rôle dans l'Église.

Un mariage chrétien doit appliquer le même principe. Nous devons considérer nos différences comme des dons de Dieu et laisser chacun utiliser sa personnalité unique dans l'intérêt du mariage. Prions donc que Dieu nous assiste dans ce processus. Ne prions pas que Dieu change notre conjoint et le rende semblable à nous, mais bien qu'il nous aide à discuter des difficultés provoquées par nos différences et à trouver l'harmonie.

L'exhortation de Paul dans Romains 15.7 doit être entendue : « Accueillez-vous les uns les autres, comme le Christ vous a accueillis, pour la gloire de Dieu. » Le fait de s'accepter réciproquement avec nos différences représente une étape majeure, à la fois pour notre croissance spirituelle personnelle et pour la croissance de notre couple.

Les différences peuvent-elles vraiment devenir appréciables ? Demandez donc à Charles, le spontané, et à Marie, la planificatrice. « Au début, nos vacances étaient un vrai désastre, raconte Charles. Elle me harcelait pendant des mois à propos des réservations et des tickets pour les attractions. Je n'écoutais jamais. Moi, j'aimais prendre la voiture, mettre le contact et laisser les panneaux routiers nous servir de guides. Après tout, ils signalent toujours ce qui vaut vraiment la peine d'être vu. Quand vient la nuit, on s'arrête dans un petit hôtel. Pas la peine de réserver. S'ils veulent notre argent, ils nous trouveront une place. L'hôtel affiche complet ? C'est uniquement le cas des endroits vraiment bon marché et je préfère les éviter de toute façon.

« Je ne l'avoue pas facilement, poursuit-il, mais à l'époque nous devions souvent chercher une chambre d'hôtel après minuit, tous deux épuisés, énervés, et certainement pas d'humeur à faire l'amour. Je n'arrive pas à croire que nous appelions ce cauchemar des vacances.

« Aujourd'hui, tout a changé. Marie travaille sur le projet pendant un an. Elle achète des guides de voyage et choisit de bons hôtels aux meilleurs prix. Ils connaissent même notre nom à notre arrivée. Mon rôle ? La surprendre par deux ou trois sorties à l'improviste pendant la durée de notre séjour. J'aime ça. C'est ma spécialité. Vous ne croirez jamais tout ce que nous avons pu faire : vol à voile, randonnée en traîneau tiré par des chiens, bain de minuit en petite tenue... de vraies vacances, quoi ! Fini le temps perdu à la recherche d'un hôtel et les disputes à la tombée du jour. Oui, désormais, nous nous réjouissons vraiment de nos différences. »

Demandez aussi à Cathy, la musicienne désordonnée, d'évoquer ses différences avec Patrick, l'ingénieur maniaque. « Je suis très distraite et, depuis des années déjà, je perds sans arrêt mes clés de voiture. Quand j'étais célibataire, j'ai dû les égarer ou les enfermer dans mon véhicule au moins vingt fois. Mon père, l'homme le plus patient du monde, gardait quatre exemplaires de mes clés à portée de main à tout moment. Je pouvais l'appeler jour et nuit et il venait à mon secours avec un jeu tout neuf.

« La première année de mariage, j'ai perdu mes clés sept fois. Nous devions systématiquement faire changer les serrures parce qu'il y avait une clé de la maison avec celle de la voiture. Patrick était hors de lui. Il me faisait la morale, il me disait de cacher une clé supplémentaire dans mon corsage. J'oubliais aussi tous ces petits trucs. Je pensais vraiment qu'il finirait par me quitter à cause de ma distraction. Je m'en voulais beaucoup. Je savais que j'aurais dû me montrer plus responsable mais, en toute honnêteté, j'ignorais comment m'y prendre.

« Un soir, j'ai dit à Patrick que j'étais parfaitement consciente de mon défaut et que j'avais vraiment besoin de son aide. Je lui ai demandé de mettre son esprit d'ingénieur au travail pour m'aider à trouver une solution. La suite des événements m'étonne aujourd'hui encore. D'abord, il a remplacé ma voiture par un de ces modèles équipés d'un bouton électronique à l'extérieur de la portière, de sorte qu'une clé n'est plus nécessaire pour entrer dans le véhicule. J'ai une bonne mémoire des chiffres parce que je suis musicienne. Ensuite, Patrick a accroché mes clés à une balle de tennis. J'ai promis de ne jamais les emporter hors de la voiture. Qui voudrait d'une balle de tennis dans son sac à main ? Je la laisse toujours sur le sol où il m'est très facile de la retrouver en prenant place dans le véhicule. Quant à la clé de la maison, chaque matin en partant travailler, Patrick la glisse dans un "endroit secret". Lui, bien sûr, n'oublie jamais ! Je la retrouve à sa place chaque après-midi en rentrant et je la remets immédiatement dans sa cachette après avoir ouvert la porte. En cas d'oubli, Patrick a prévu six clés supplémentaires. L'année dernière, j'ai seulement oublié trois fois de la remettre dans sa cachette. Il a décrété que c'était formidable.

« Je suppose que Patrick aimerait que je sois plus structurée, mais il aime aussi ma musique et il sait que la créativité et la désorganisation vont parfois de pair. Je suis heureuse d'être mariée avec lui. Je n'aurais pas aimé un mari qui me ressemble. Nous aurions passé la moitié de notre vie à la recherche de nos clés. Oh oui ! Patrick et moi nous réjouissons de nos différences. »

☙

Chaque différence recèle le potentiel de nous réjouir. Si nous croyons vraiment que Dieu désire nous voir mener notre vie de couple dans la complémentarité, nous chercherons et nous connaîtrons cette joie. Il reste un point qui mérite notre attention en la matière : nos « réflexes défensifs ». Pourquoi réagissons-nous parfois autant sur la défensive ? J'espère que vous trouverez la réponse au chapitre 15.

Chapitre 15

Pourquoi suis-je sur la défensive ?

La réaction défensive est involontaire ; elle se manifeste automatiquement. Par exemple, ma femme et moi passons une soirée merveilleuse, en conversant librement, parfaitement détendus et heureux d'apprécier quelques moments de loisir. Puis elle dit ou fait quelque chose qui me met soudainement sur la défensive.

Il se passe quelque chose en moi, comme si mes émotions se mettaient en alerte, tels des soldats prêts à défendre une position stratégique. Ces soldats émotionnels hurlent des ordres et ma réaction vise alors à empêcher ma femme de pénétrer plus avant sur ce territoire miné. Je peux tenter de changer de sujet et d'amener la conversation vers un domaine plus acceptable. Je peux aussi répondre par une rafale verbale destinée à mettre définitivement un terme à toute discussion. Je peux même battre en retraite dans une autre pièce, en espérant qu'elle renoncera à me poursuivre. Quelle que soit ma réaction, le moment de détente est terminé, la conversation agréable a tourné court. D'alliés, nous sommes devenus ennemis. Nous n'avions pas l'intention de transformer notre repos bucolique en bataille rangée. C'est arrivé, tout simplement.

Sommes-nous donc le jouet de ces monstres émotionnels intérieurs qui nous propulsent sur le mode défensif, anéantissant par là même nos conversations et nos moments d'intimité ? Dans ce chapitre, nous partirons du principe que nous pouvons parvenir à comprendre ces réactions défensives, à en apprendre davantage sur nous-mêmes grâce à elles et à trouver le moyen de désamorcer leur puissance destructrice.

L'origine de nos réactions

Pourquoi sommes-nous si prompts à nous défendre ? Se défendre consiste à se protéger et à résister. Ainsi, lorsque nous nous mettons sur la défensive, nous protégeons quelque chose de nous et nous résistons à quelqu'un. Le comportement défensif est un obstacle à la communication. Voyez cet échange entre Virginie et Claude.

– Ta cravate est de travers, lui dit-elle au moment où il quitte la maison.

– Quelle autre bonne nouvelle as-tu pour moi avant de partir ? répond Claude, acide.

– J'essayais seulement de t'aider, répond Virginie, un peu surprise.

– Je me demande vraiment comment je m'en sortais avant de t'épouser ! rétorque Claude furieusement, avant de claquer la porte.

« Pourquoi monte-t-il sur ses grands chevaux ? se demande-t-elle. Je lui ai seulement signalé que sa cravate était de travers. Je veux qu'il soit à son avantage en arrivant au bureau. »

L'attitude défensive tue dans l'œuf toute communication constructive. La conversation tourne court et nous ne sommes pas près d'évoquer le sujet à nouveau. Ce comportement fait obstacle à notre intimité et creuse un fossé entre nous. Nous en sommes tous les deux désolés, tout en étant apparemment incapables de l'empêcher.

Mauvaise estime personnelle

Pourquoi réagir si promptement et si passionnément à certains propos ? C'est généralement que notre estime personnelle est menacée par les commentaires de notre conjoint.

Eric épluche des oignons et Joanna verse de l'huile dans la poêle. Quand Éric se lève un instant pour changer la station radio, sa femme verse les rondelles d'oignons dans l'huile. Il se retourne et suggère :

– Tu sais qu'il existe une meilleure façon de procéder ?

– Pourquoi veux-tu toujours tout diriger ? rétorque Joanna.

– Je pensais seulement que tu aimerais recevoir un conseil. Tu sais que ce plat est ma spécialité, argumente Éric.

– Alors, tu n'as qu'à la préparer tout seul, ta spécialité ! lance-t-elle furieusement, en sortant de la cuisine.

Eric ne comprend pas la raison de cette explosion. Il voulait simplement lui dire qu'elle aurait dû faire chauffer l'huile avant d'ajouter les oignons. Après cette réaction, non seulement son conseil précieux n'a pas pu être prodigué, mais la soirée a été complètement gâchée pour tous les deux.

Qu'est-il arrivé dans cette cuisine ? La remarque d'Éric a touché un point sensible chez Joanna. Nous en avons tous. A l'image de l'instrument du dentiste qui touche un nerf à vif et propulse une douleur fulgurante dans tout le corps, les mots peuvent heurter un nerf émotionnel, et l'esprit et le corps tout entiers réagissent par la défensive. Cette réaction n'est pas raisonnée, elle est involontaire et imprévisible. Nous sommes parfois surpris nous-mêmes par son ampleur.

Ces points sensibles émotionnels sont directement liés à notre estime personnelle et s'expliquent par notre histoire individuelle. Ils sont aussi nombreux et divers que le sont les individus eux-mêmes. Un mari peut se mettre sur la défensive si sa femme critique légèrement sa cuisine, alors qu'un autre acceptera simplement la suggestion. Une épouse réagit vertement si son mari dit : « La limitation de vitesse est de cinquante en ville », tandis qu'une autre répondra simplement : « Merci, je n'avais pas remarqué que je roulais trop vite. »

Concernant l'exemple précédent, j'ai découvert que la mère

d'Éric était un fin cordon bleu (selon lui). Lui-même était particulièrement doué pour la cuisine et se montrait très méthodique dans la préparation de ses petits plats. Joanna pensait être une cuisinière convenable, mais son estime personnelle s'est trouvée menacée par la remarque d'Éric. Elle en a conclu qu'elle était incompétente.

Plus l'atteinte à l'estime personnelle est profonde, plus la réaction défensive est passionnée. Georges se dirigeait vers l'autoroute avec Élisabeth, en se réjouissant de passer de bonnes vacances en tête-à-tête avec elle. Elisabeth lui dit :

– La vitesse est limitée à quatre-vingt-dix ici.

Georges se rangea brusquement sur le bord de la route, bondit hors du véhicule et dit :

– Très bien, c'est toi qui conduis. Je ne vais pas passer toutes mes vacances à t'écouter me dire comment m'y prendre.

Comme sa femme ne bougeait pas, il répéta :

– Sors de là, c'est toi qui conduis !

– Je ne veux pas conduire, répondit Élisabeth.

– Tu conduis ou tu tiens ta langue ! hurla Georges.

Après quelques secondes de silence, il ajouta :

– Pourquoi faut-il donc toujours que nos vacances tournent mal !

Une réaction défensive aussi brutale après une remarque aussi anodine indique très certainement que l'estime de Georges a été fortement menacée. Il veut avoir de lui l'image d'un adulte responsable et il interprète la remarque d'Élisabeth comme un affront. L'émotion est presque insupportable. Il lui faut absolument obtenir son appréciation, pour avoir une bonne impression de lui-même. Quand il obtient ce qu'il interprète comme une condamnation au lieu de son approbation, il devient extrêmement agressif.

Elisabeth ignorait que le père de Georges avait sévèrement critiqué sa façon de conduire quand il était jeune, en le mettant constamment en garde contre ses excès de vitesse. Une infraction avait conduit Georges à provoquer deux accidents. En lui disant : « La vitesse est limitée à quatre-vingt-dix ici », elle a touché un point sensible lié à ces souvenirs. Georges a interprété sa remarque en ces termes : « Tu es un mauvais conducteur, tu es irresponsable et tu vas probablement provoquer un autre accident. » Nous avons souvent le sentiment que notre réaction est justifiée. Après réflexion, il se peut que nous regrettions son ampleur ou sa forme, mais nous restons généralement persuadés de nous être défendus à juste titre. Nous aimons nous rappeler la juste colère de Jésus qui chassa les changeurs d'argent hors du temple. Notre réaction nous paraît justifiée parce que l'autre personne n'avait aucun droit, nous semble-t-il, de nous frapper là où ça fait si mal. Le problème est que notre conjoint n'a pas la moindre idée qu'il touche un point sensible émotionnel.

Elisabeth essayait seulement d'éviter une amende qui aurait gâché leurs vacances. Elle comprit plus tard qu'une contravention aurait entraîné des conséquences moins lourdes que la réaction de Georges.

Nous possédons tous ce genre de points sensibles et ils sont généralement liés à notre estime personnelle, à l'image que nous entretenons de nous-mêmes. Ils sont en grande partie déterminés par nos expériences émotionnelles passées, en particulier notre relation avec nos parents et notre entourage pendant notre enfance. Il est très possible d'ignorer ce que dissimulent exactement ces points sensibles tant que notre conjoint ne les réveille pas par ses commentaires. Ces expériences défensives sont pratiquement inévitables. Elles doivent néanmoins devenir révélatrices, sinon ces épisodes défensifs feront à jamais obstacle à la communication. (Nous reviendrons sur ce point au chapitre 16). Dans les pages qui suivent, nous nous efforcerons principalement de comprendre en quoi elles consistent.

Conflit irrésolu

Un conflit conjugal irrésolu peut également être à l'origine d'une réaction défensive. Si nous n'avons pas aplani nos différends, notre relation de couple n'est pas limpide et nous sommes donc plus susceptibles. Certains conjoints, incapables de résoudre leurs conflits après plusieurs années, en concluent qu'ils ne sont pas compatibles et qu'ils sont, en réalité, ennemis. Inconsciemment, ils fonctionnent selon ce scénario : « Quelqu'un est prêt à m'avoir, je dois donc toujours être sur mes gardes. » Ils sont à l'affût du moindre détail susceptible de provoquer leur colère ; ils s'attendent à des agressions ponctuelles et vivent constamment aux aguets.

L'absence de résolution ne signifie pas forcément qu'ils n'abordent jamais leurs divergences. Périodiquement, ils peuvent avoir des discussions longues et animées. Le problème est qu'ils n'aboutissent jamais à une solution. Quand la température atteint un certain degré, ils laissent tomber et se retirent, laissant le conflit en suspens. Par la suite, la moindre remarque liée à ce conflit latent provoque à nouveau une réaction défensive.

La situation est parfois aggravée par un sentiment de culpabilité chez l'un ou l'autre des conjoints. C'est particulièrement le cas quand un individu est conscient de ses torts, mais refuse de modifier son comportement. Sa culpabilité le prédispose à adopter une attitude défensive quand son partenaire soulève une question qui s'y rapporte.

Après plusieurs mois ou plusieurs années de conflits irrésolus, certaines voix intérieures se font entendre : « J'ai épousé la mauvaise personne. » « Comment ai-je pu me mettre dans une situation pareille ? » « Je n'arrive pas à croire que ma femme soit à ce point incohérente. » Les conflits irrésolus peuvent progressivement nous persuader que nous sommes incompatibles et que notre conjoint n'est pas vraiment notre allié. Dans cette idée, nous nous attendons à ses critiques et nous nous tenons prêts à riposter. Plus nous nous adressons pareils messages, plus nous en sommes convaincus et plus nous sommes désespérés. Ce genre de discours intérieur creuse un fossé dans notre mariage.

Je ne veux pas dire que tout discours intérieur soit à bannir. Par contre, je propose de chercher à décrire des événements et des problèmes précis, au lieu de laisser les conflits irrésolus nous pousser à généraliser sur les failles de notre conjoint et de notre union. La croissance conjugale se fait pas à pas. Mieux vaut se concentrer sur la résolution d'une seule divergence de vue que vivre sous le fardeau de nombreux conflits latents.

Privations physiques

La troisième source possible d'un comportement défensif est la privation. Nous sommes davantage enclins à réagir de la sorte quand nous manquons de sommeil, d'exercice ou d'alimentation saine. Beaucoup ont aussi constaté qu'après avoir été victimes d'une maladie grave, ils se montraient plus sensibles, ce qui est lié aux changements subis par le corps, voire à des sentiments dépressifs liés à l'état physique.

Nos réactions excessives peuvent aussi s'expliquer par des problèmes qui touchent d'autres domaines de la vie, tel un stress inhabituel au travail, des conflits à l'église, des difficultés avec les enfants ou la prise en charge pesante de parents âgés : autant de situations susceptibles de renforcer notre propension à réagir sur la défensive. Il nous faudra alors prendre des mesures positives pour corriger ces situations.

Réactions défensives types

La réaction défensive prend généralement l'une des trois formes suivantes.

La riposte verbale

La façon la plus courante de se défendre est de répondre violemment à la personne qui a déclenché notre colère. Rappelez-vous que les réactions défensives impliquent deux éléments : protéger quelque chose et s'opposer à quelqu'un. Généralement, nous protégeons notre estime personnelle et nous nous opposons à celui ou à celle qui nous menace à cet égard.

Supposons que des conjoints ont convenu que le mari serait responsable du jardin (tondre la pelouse, tailler les haies, ramasser les feuilles mortes, etc.). Un après-midi, il rentre à la maison et découvre que les haies ont été taillées. Il s'énerve

avant même d'ouvrir la porte. D'emblée, il dit à sa femme :
« Tu n'as pas pu attendre que je le fasse moi-même, pas vrai ?
Pourquoi cherches-tu constamment à faire pression sur moi ?
Pourquoi faut-il toujours que tout soit fait comme tu l'as
décidé ? Je suppose qu'après ça, tu vas aussi te mettre à tondre
la pelouse ! » Et il sort de la pièce. Sa femme, elle, finit par se
demander si la règle d'or : « Fais aux autres ce que tu aimerais
qu'ils fassent pour toi » est encore d'actualité. En essayant de
l'aider, elle n'a récolté qu'une agression verbale.

Remarquez les deux éléments de protection et d'opposition. Le mari cherche à protéger son estime personnelle. Il a
une bonne opinion de lui quand il pourvoit aux besoins de sa
famille et entretient correctement le jardin. A ses yeux, l'attitude de sa femme reflète son échec ou, du moins, indique
qu'elle le considère comme un échec. Ses petits soldats
émotionnels ont appelé au branle-bas de combat pour protéger
son estime personnelle.

Notez aussi son opposition en ce qu'il accuse sa femme de
vouloir le déresponsabiliser davantage en s'attaquant ensuite à
la pelouse. Sa riposte verbale empêchera peut-être sa partenaire de violer à nouveau son territoire, mais elle l'a aussi
profondément blessée. La riposte verbale exerce presque
toujours un effet néfaste sur la relation. Elle coupe court à
toute communication. Même si la dispute est brève et si le
sujet n'est jamais mentionné à nouveau, le fossé émotionnel
reste présent dans la relation.

Les Écritures évoquent la folie de ces réactions. Paul nous
conseille : « Ne rendez à personne le mal pour le mal »
(Romains 12.17) Dès lors, même si nous pensons que le
comportement de notre conjoint vise à nous blesser (ce qui
n'est généralement pas le cas), nous sommes malgré tout
encouragés à ne pas réagir négativement. Paul conseille également : « Ne vous vengez pas vous-mêmes. » (Romains 12.19)
L'auteur des Proverbes a écrit : « Le sot donne libre cours à ses
mouvements de colère, l'homme sensé retient les siens et les
calme. » (Proverbes 29.11) Dans Proverbes 20.3, nous lisons :
« Se retirer d'une dispute est un acte honorable. Seuls les sots

s'y entêtent. » Les Écritures et l'expérience nous indiquent que la riposte verbale est néfaste pour l'unité conjugale.

Le retrait

La réaction défensive peut aussi se traduire par un retrait. Les défenses émotionnelles sont en alerte, mais pour une raison quelconque, la victime ne riposte pas verbalement. Elle se retire, peut-être en maugréant, mais sans exprimer ouvertement ses sentiments. Elle s'isole dans son univers et pratique ce que les professionnels appellent le « dialogue intérieur ». Autrement dit, elle se parle à elle-même oralement et/ou mentalement. Elle revit la situation (peut-être même à maintes reprises), en éprouvant chaque fois de la souffrance et de la colère envers son conjoint. Fulminant intérieurement, elle garde ses distances géographiques et émotionnelles par rapport à son partenaire.

Certains chrétiens estiment que le retrait est préférable à la riposte verbale. Il peut pourtant s'avérer tout aussi nuisible pour la relation. Le retrait et le mutisme émotionnels débouchent sur un dialogue intérieur défensif. Par ailleurs, les sentiments réprimés referont probablement surface dans d'autres domaines de la vie, parfois même à travers des symptômes physiques comme des migraines, des maux de dos, des nausées et des troubles digestifs. Le retrait ne laisse pas la moindre possibilité de traiter les blessures et donc aucune possibilité d'apprendre de cette expérience.

Les Écritures condamnent aussi la souffrance silencieuse. Dans Matthieu 18.15, Jésus exhorte : « Si ton frère se rend coupable à ton égard, va le trouver et montre-lui sa faute, mais en demeurant seul avec lui. S'il t'écoute, tu auras gagné ton frère. » Ce principe s'applique assurément au mariage. Dès lors, si vous sentez que vous avez été lésé, il est de votre devoir de partager positivement votre point de vue avec votre conjoint, en refusant de souffrir en silence. Dans Éphésiens 4.31, nous lisons : « Chassez loin de vous tout sentiment amer, toute irritation, toute colère. Eliminez les cris et les insultes. Abstenez-vous de toute forme de méchanceté. » Le retrait et la souffrance silencieuse ne sont donc pas des réponses bibliques à nos réactions défensives.

L'utilisation des enfants

Pour les conjoints qui sont parents, il existe une troisième forme de réaction : s'exprimer à travers les enfants. Nous verbalisons nos sentiments auprès de notre enfant au lieu de notre conjoint. « Tu sais ce que ta mère a fait ? » marque le début d'une avalanche émotionnelle défensive. La mère de Jacques avait l'habitude d'utiliser ses enfants pour obtenir ce qu'elle voulait de son mari. Jacques détestait être manipulé par sa mère, mais il avait pitié d'elle et prenait généralement son parti. Par conséquent, son père et lui s'étaient éloignés d'un point de vue émotionnel. Plus tard, quand Jacques est devenu adulte et s'est marié, il était très mal à l'aise quand sa femme lui demandait de gérer un problème entre elle et leurs enfants, ou quand ces derniers lui parlaient d'un souci entre leur mère et eux. Jacques savait d'expérience que s'exprimer à travers ses enfants n'est pas une façon positive de gérer ses émotions défensives.

Il pourrait même s'agir de la plus destructrice des trois réactions parce qu'elle implique non seulement les conjoints, mais aussi un ou plusieurs enfants innocents. Les Écritures nous mettent en garde contre les commères qui « parlent de choses dont elles ne devraient pas s'occuper » (1 Thimothée 5.13). Il est extrêmement injuste de porter préjudice à l'esprit d'un enfant contre l'un de ses parents à cause de notre propre réaction défensive. L'explication émotionnelle de ce comportement consiste à se grandir en démolissant son conjoint. En vérité, tous les membres de la famille sont blessés par une telle attitude. Elle est injuste pour le conjoint et destructrice pour l'enfant pris au milieu, blessé et confus.

&

Il est manifeste que parler par l'intermédiaire de ses enfants, se retirer dans sa coquille et souffrir en silence ou riposter verbalement ne sont pas des réponses bibliques à nos émotions défensives. Pourtant, la plupart d'entre nous peuvent se reconnaître dans l'une ou plusieurs de ces façons de réagir. L'attitude défensive est une réaction subjective qui vise à se protéger contre la souffrance émotionnelle, en s'opposant à l'individu ou à l'objet qui nous menace. Nous ne pouvons pas la réprimer, mais nous pouvons apprendre à l'utiliser à des fins positives. Dans le chapitre 16, nous verrons comment en tirer parti.

Chapitre 16

Surmonter
ses réactions défensives

Les réactions défensives étouffent la communication et minent l'intimité. Une épouse raconte : « Je me réjouissais de passer une soirée romantique avec mon mari jusqu'à ce qu'il lève les yeux vers moi en consultant nos relevés de compte et dise : "Si tu n'arrêtes pas de dépenser autant d'argent, nous seront bientôt sur la paille." Je suis devenue livide. Mon envie de partager un moment agréable avec lui s'est envolée sur-le-champ. Nous avons passé la demi-heure suivante à nous disputer, puis je me suis enfermée dans la chambre où j'ai versé toutes les larmes de mon corps, avant de trouver enfin le sommeil. »

Nous sommes tous victimes de réactions défensives, mais pour autant, elles ne doivent pas devenir destructrices. Elles peuvent même contribuer à améliorer notre communication et à approfondir notre intimité. Ce chapitre a précisément pour but de vous aider à apprendre comment.

L'origine du problème

Aucune plante n'est dépourvue de racines. Il en va de même de nos réactions défensives. Pratiquement toutes ont leurs racines dans notre histoire émotionnelle.

Parfois, ces émotions sont faciles à identifier, ce qui rend notre réaction plus transparente. Dans l'exemple ci-dessus, l'épouse se sent condamnée, surveillée et furieuse de la remarque de son mari sur sa façon de gérer l'argent. Sa réaction défensive plonge ses racines dans plusieurs directions. Pour commencer, elle sait qu'il a acheté un nouvel appareil photo numérique pour cinq cents euros la semaine précédente. Elle trouve donc sa remarque hypocrite et injuste. En outre, il vérifie régulièrement les comptes et, ces six derniers mois, il lui a systématiquement demandé de justifier ses achats importants. Comme elle contribue autant que lui au revenu de la famille, elle y voit une tentative de la surveiller. Après mûre réflexion, elle identifie une autre racine. Pendant ses études à l'université, son père la réprimandait souvent à propos de ses dépenses. Elle n'entretenait pas vraiment de relation affectueuse avec lui. Voilà qu'aujourd'hui son mari se comporte comme son père. Elle n'avait pas à chercher plus loin pour comprendre sa réaction.

Cependant, certaines émotions sont profondément enfouies et le réflexe défensif apparaît disproportionné par rapport au problème soulevé. Des sujets superflus peuvent dissimuler des blessures profondes et destructrices, persistant souvent depuis l'enfance et resurgissant soudain au sein de la relation conjugale.

Matthieu et Muriel avaient convenu qu'elle travaillerait à l'extérieur et qu'il participerait aux tâches ménagères. Elle resterait toutefois la principale cuisinière, et lui l'assistant, parce qu'il était incapable de s'en sortir seul en la matière. Trois mois plus tard, Matthieu est dans la cuisine et demande : « Que puis-je faire ? » et Muriel répond :

– Ce que tu fais m'est égal, contente-toi de sortir d'ici. Je me débrouillerai seule.

– Je voulais seulement t'aider.

– Je sais, mais tu me retardes au lieu de m'aider, rétorque-t-elle. Je préfère travailler seule.

En silence, Matthieu sort de la cuisine et prend ses distances par rapport à Muriel. Les voix intérieures l'assaillent et il se sent confus et blessé.

Après avoir réfléchi à sa réaction, Muriel comprend qu'elle se culpabilise de ne pas être une bonne mère pour ses deux enfants en bas âge. Sa propre mère avait été femme au foyer et elle avait toujours pensé qu'elle ferait de même quand son tour viendrait de fonder une famille. Mais Matthieu avait tenu à ce qu'ils achètent une maison plus vaste, ce qui la contraignait à garder un emploi. Quand ils en avaient discuté, elle avait donné son accord, mais elle en voulait intérieurement à son mari d'avoir insisté. Elle reconnaissait aussi le fossé qui les séparait et sa présence dans la cuisine lui rappelait leur éloignement. En l'entendant maladroitement demander ce qu'il pouvait faire, comme un enfant, elle s'était dit : « S'il était un homme, il gagnerait assez d'argent pour me permettre d'assumer mes responsabilités de mère et d'épouse. » Elle n'avait pourtant jamais osé exprimer ouvertement ses sentiments.

Ignorant complètement le tourment émotionnel de Muriel, Matthieu ne comprenait pas du tout pourquoi elle l'avait chassé de la cuisine. Sa peine était renforcée par sa propre histoire. En effet, sa mère lui disait toujours qu'il avait intérêt à trouver une femme qui sache cuisiner, sinon il mourrait rapidement de faim. Un jour, elle avait même voulu lui apprendre à préparer une quiche, mais quand il avait laissé brûler la pâte, elle avait hurlé en le chassant de la cuisine. Le message était limpide : il ne répondait pas aux attentes de sa mère. Il avait aussi l'impression de ne pas être vraiment apprécié par son père. Ce dernier l'avait mis en garde contre une carrière musicale, qui ne lui permettrait jamais de subvenir aux besoins de sa famille. Matthieu possédait une forte personnalité et il avait malgré tout opté pour la musique. Aujourd'hui, sa femme, dont il espérait tant l'approbation, le chassait de la cuisine. Il se sentait réduit à l'état de l'enfant indésirable, à ce point près qu'il était désormais adulte et que la blessure n'en était que plus profonde.

Trois semaines après l'incident de la cuisine, Muriel s'étonne de la froideur de Matthieu à son égard. « L'épisode de la cuisine ne peut suffire à expliquer son attitude », se dit-elle. Tous deux ignorent en fait la raison profonde du malaise parce que Matthieu a enterré ses émotions, sans jamais lui en parler. Aucun des deux ne comprendra jamais le réflexe défensif de l'autre tant qu'ils n'identifieront pas et ne partageront pas d'abord le vécu émotionnel qui explique leur comportement.

Beaucoup de couples ne vont jamais au cœur du problème. Leur discussion se concentre sur la remarque de la cuisine. Généralement, ils se condamnent réciproquement pour avoir pris la mouche à cause de paroles aussi anodines. Puis ils évacuent le sujet en évoquant le stress qu'ils subissent tous les deux au travail. Après quelques semaines de silence, ils recommencent à se parler et poursuivent tant bien que mal leur relation jusqu'au prochain épisode. Or, il est essentiel de comprendre les racines émotionnelles de notre réaction pour surmonter cet obstacle à la communication.

Il n'est pas très difficile de découvrir les origines de notre comportement défensif, mais il est nécessaire de prendre le temps d'y réfléchir. Prenez de la distance par rapport à la situation et demandez-vous : « Pourquoi ai-je réagi sur la défensive à ce propos ? » Notez sur une feuille de papier ce qui vous vient à l'esprit. Vos réponses immédiates se concentreront probablement sur des points superficiels. La première idée de Muriel était : « Je réagis ainsi parce qu'il me retarde au lieu de m'aider. Il ne fait que me compliquer la tâche. » Mais après avoir réfléchi davantage, elle a compris que sa réaction n'avait rien à voir avec les compétences culinaires de son mari, mais qu'elle renvoyait à sa propre estime personnelle et à sa conception de la maternité. Il arrive que les causes de nos réactions défensives soient liées à des réflexes émotionnels assez éloignés des questions superficielles qui les ont déclenchées.

Une autre question qui contribue à mettre en lumière les origines de nos réflexes défensifs est : « Que s'est-il passé dans mon enfance ou mon adolescence qui pourrait être lié à ma réaction présente ? » Une réaction extrêmement forte est presque toujours due à des expériences passées. Rachel était une femme plutôt imperturbable, mais trois mois après leur mariage, en plein milieu d'un repas, son mari Pascal s'est mouché bruyamment. Rachel a piqué une crise de nerfs. « Mais enfin ! s'écria-t-elle. Comment oses-tu faire une chose pareille ? » Elle s'est levée d'un bond, elle a quitté la maison, pris la voiture et s'en est allée, laissant Pascal à table, complètement abasourdi. Plus tard, assise devant moi dans mon bureau, Rachel me confiait : « Je ne sais pas pourquoi, mais cela me dérange plus que tout. C'est tellement grossier. »

Pendant notre entretien, j'ai demandé à Rachel :

– Pouvez-vous relier votre réaction défensive à un événement quelconque de votre enfance ou de votre adolescence ?

– Je me rappelle qu'un jour, alors que j'avais environ dix ans, ma grand-mère était venue nous rendre visite. Elle était formidable et si gentille avec moi. Je l'admirais beaucoup. Un soir, j'avais un rhume et pendant le repas, je me suis mouchée dans ma serviette. Ma mère s'est fâchée et m'a envoyée dans ma chambre. J'étais humiliée. Que penserait ma grand-mère après ça ? J'avais l'impression d'avoir perdu sa confiance. Je savais qu'elle ne voudrait plus jamais partager de repas avec moi. Ce fut la pire soirée de ma vie.

Rachel a alors compris pourquoi sa réaction avait été si violente. A ses yeux, le geste de Pascal était la pire des impolitesses. Elle n'y avait pas songé sur le moment, mais il avait fait resurgir de puissantes émotions du passé.

Un peu de réflexion sur notre propre histoire suffit généralement à découvrir les racines émotionnelles de notre comportement défensif. La plupart des gens n'auront pas besoin de psychothérapie pour y parvenir, mais seulement d'un peu de temps et d'efforts.

Apprendre de nos réactions défensives

Contrairement à nos réactions proprement dites, les émotions qui les sous-tendent ne sont pas des péchés. Mais il est toujours nuisible de les ignorer. Elles peuvent être comparées à ces petits témoins lumineux sur le tableau de bord de notre voiture. Elles attirent notre attention et cherchent à nous informer de la nécessité d'effectuer une petite réparation. Nous les ignorons à nos risques et périls. Nos sentiments sont toujours très révélateurs et notre relation conjugale peut vraiment progresser quand nous abordons honnêtement nos réactions défensives au sein du couple.

Dans Romains 8.28, nous lisons : « Nous savons que Dieu travaille en tout pour le bien de ceux qui l'aiment, de ceux qu'il a appelés selon son plan. » Ce « tout » inclut nos émotions défensives. Dieu cherche à utiliser les expériences de notre vie pour notre bien. Le bien ultime que Dieu vise pour nous est notre ressemblance avec le Christ (cf. Romains 8.29). C'est pourquoi nous devrions concentrer tous nos efforts à collaborer avec Dieu pour chercher à tirer parti de ces expériences.

Avant tout, que puis-je apprendre de moi-même à travers ma réaction défensive ? Je vous suggère de commencer par vous attarder sur l'événement lui-même, en répondant aux questions suivantes :

- Qu'ai-je ressenti en réagissant de la sorte ? De la colère ? De la souffrance ? De la déception ? De la honte ?
- Quel message m'ont transmis les propos de mon conjoint ? Que je suis inapte ? Stupide ? Immature ? Que je ne compte pas beaucoup pour lui ? Que mes idées ne sont pas importantes ?
- Quel message ma réaction verbale ou comportementale a-t-elle communiqué à mon conjoint ? Qu'il est stupide ? Qu'il ne parviendra pas à exercer de contrôle sur moi ? Que je désapprouve profondément ce qu'il a fait ? Que je ne le tolérerai plus à l'avenir ? Que je ne l'aime pas ?
- Que révèle ma réaction à mon propos ? C'est ici que votre travail de réflexion sur les racines de votre réflexe défensif vous sera utile. Il peut révéler un élément de votre parcours que vous aviez oublié depuis longtemps. Il peut mettre en exergue un espoir nourri à l'égard de votre mariage, que vous n'avez jamais confié à votre conjoint.

Une autre approche consiste à vous concentrer sur les aspects plus vastes de votre mariage, susceptibles d'être liés à votre comportement défensif. Les questions suivantes peuvent être utiles :

- Quelles attitudes ai-je coutume d'adopter vis-à-vis de mon conjoint qui pourraient expliquer mon comportement défensif ?

- Est-ce que je considère mon conjoint intellectuellement inférieur ?
- Est-ce que je trouve mon conjoint passif, agressif ou dominateur ?
- Ai-je le sentiment d'avoir été trahi(e) par mon conjoint d'une façon ou d'une autre ?
- Est-ce que je me sens aimé(e) et apprécié(e) par mon conjoint ?
- Si je pouvais demander à mon conjoint de modifier un comportement ou un message verbal, que choisirais-je ?
- Quels autres aspects de mon mariage sont susceptibles d'avoir influencé ma réaction défensive ?

Le fait de répondre à ces questions vous aidera à mieux cerner votre réflexe défensif, alors qu'ignorer le problème ne fera que vous prédisposer à le reproduire ultérieurement.

Aborder les problèmes

Après avoir réfléchi sur votre comportement défensif et cherché à mieux cerner vos réactions émotionnelles, il est temps de prévoir une discussion de niveau 5 avec votre conjoint. Dans le chapitre 7, nous avons décrit les cinq paliers de la communication. Le cinquième est celui de la franchise. A ce niveau, notre objectif est d'être honnête, sans condamner notre interlocuteur, de rester ouvert sans être exigeant (en accordant à l'autre le droit de penser différemment) et de nous efforcer de comprendre pourquoi notre conjoint réfléchit et réagit comme il le fait. Vous devez vous efforcer de trouver le moyen de grandir ensemble. Il faut espérer que votre conjoint acceptera de participer à une telle discussion. L'élément le plus important consiste à vous concentrer tous les deux sur l'écoute. Regardez votre conjoint quand il parle et efforcez-vous d'entendre ce qu'il dit. Acquiescez pour l'encourager à poursuivre. Reformulez ce que vous comprenez et laissez-lui clarifier son propos. Fixez-vous pour objectif de comprendre ses sentiments et la raison pour laquelle il les éprouve. Vous pourriez juger utile de prier : « Aide-moi à chercher à comprendre au lieu de chercher à être compris. » Si vous cherchez tous deux à comprendre, vous serez tous deux compris.

Vous pourriez solliciter cet entretien en disant : « J'ai pris conscience que hier soir, ma réaction avait été plutôt excessive quand... J'aimerais vraiment tirer la leçon de cette expérience. J'ai passé une heure cet après-midi à y réfléchir pour tenter d'en savoir plus. Je pense avoir mieux compris et j'aimerais t'en parler pour avoir ton avis. Est-ce que nous pouvons en parler maintenant ? » Si le moment est mal choisi, efforcez-vous de fixer un rendez-vous dans un avenir très proche.

En entamant votre entretien de niveau 5, souvenez-vous de vous exprimer à la première personne. « J'apprécie vraiment que tu me consacres ce temps. Je sais que j'ai réagi sur la défensive hier soir. Je crois mieux comprendre après réflexion et j'aimerais t'expliquer ce qui s'est passé. Je tiens d'abord à te dire que je ne suis pas fier (fière) de mon attitude. J'aimerais apprendre à mieux m'exprimer quand je suis sur la défensive, mais j'espère aussi que tu t'efforceras de me comprendre pour que nous puissions continuer à grandir ensemble. » Puis, aussi clairement que vous le pouvez, expliquez ce que vous avez découvert sur vous-même. Racontez les anecdotes de votre enfance liées à l'incident et la manière dont son comportement a menacé votre estime personnelle.

Si c'est votre conjoint qui a initié un entretien pour aborder sa réaction défensive, souvenez-vous que votre responsabilité majeure consiste à écouter avec empathie. Maintenez le contact visuel pendant qu'il parle. Que votre langage corporel reflète votre niveau d'écoute et d'intérêt. Ne l'interrompez pas, ne changez pas de sujet. Laissez-le parler et s'expliquer tranquillement. Reformulez ses propos et assurez-vous de comprendre ce qu'il veut dire : « Tu veux dire que... ? ». Laissez votre conjoint poursuivre jusqu'à ce qu'il dise enfin : « Oui, c'est bien ça. » Alors, vous aurez une image complète de la situation et vous comprendrez probablement ce qui s'est passé en lui. Montrez-vous ouvert envers ses propos. Dans le Nouveau Testament, Pierre exhorte les maris à traiter leur femme « avec respect » (1 Pierre 3.7). L'auteur des Proverbes a souligné : « Ce qui intéresse le sot n'est pas de comprendre, mais de faire étalage de ses propres pensées. » (Proverbes 18.2)

Paul nous conseille : « Accueillez-vous les uns les autres, comme le Christ vous a accueillis, pour la gloire de Dieu. » (Romains 15.7) Des conjoints qui s'acceptent et se comprennent mutuellement apportent effectivement de la gloire à Dieu. Une telle conversation porte aussi beaucoup de fruits positifs sur le plan émotionnel. Si vous constatez que votre conjoint comprend vos besoins, vous vous sentirez probablement aimé et votre intimité n'en sera que renforcée. Par contre, le sentiment d'être incompris nous maintient éloignés.

Explorer les voies du changement

Maintenant que vous comprenez mieux vos comportements défensifs respectifs, il est temps d'explorer le moyen de se comporter l'un envers l'autre de manière plus constructive. En découvrant vos points sensibles sur le plan émotionnel et en comprenant qu'ils sont liés à votre estime personnelle, vous chercherez à trouver de nouvelles façons de vous exprimer ou de vous comporter, qui ne menaceront pas non plus l'estime de votre conjoint. Si c'est vous qui avez réagi sur la défensive, vous pourriez suggérer à votre partenaire ce qui serait utile, selon vous, dans des situations similaires. Le but est d'apprendre comment partager ses idées sans déclencher la réaction défensive de son conjoint.

Vous pourriez dire : « Quand tu commences tes phrases par "tu devrais", j'ai l'impression que tu agis envers moi comme mon père ou comme Dieu, et que je suis ton enfant. Intellectuellement, je sais que ce n'est pas ton intention, mais émotionnellement, c'est ce que je ressens. Alors peut-être qu'à l'avenir, si tu veux me suggérer quelque chose, tu pourrais dire : "A mon avis…" ou "Je pense qu'il serait utile que tu…" Je crois que je réagirais autrement si tu partageais simplement ton avis ou si tu transmettais une information. »

Un autre principe important pour désamorcer le réflexe défensif est d'apprendre à présenter des requêtes au lieu d'exigences. Une phrase comme celle-ci déclenchera probablement une réaction défensive : « Si tu ne te décides pas à nettoyer les gouttières, elles finiront pas tomber. Elles sont envahies par les feuilles mortes. » Votre conjoint se montrera probablement mieux disposé si vous présentez une demande positive : « Penses-tu qu'il te serait possible de nettoyer les gouttières ce week-end ? » La première formulation est une exigence, la seconde une demande.

Si nous rencontrons l'acceptation de notre conjoint quand nous expliquons nos émotions et les raisons pour lesquelles nous avons réagi de la sorte, cela débouche sur une atmosphère émotionnelle propice à une plus grande intimité. Ne condamnez pas, ni vous-même ni votre conjoint, pour ces réactions défensives, mais cherchez plutôt à tirer enseignement de ces expériences en les abordant ouvertement et tendrement. Ainsi, vous constaterez qu'elles deviendront de moins en moins fréquentes. Vous apprendrez à renforcer votre estime personnelle mutuelle en acceptant vos sentiments respectifs et en vous comportant peu à peu différemment l'un envers l'autre. Plus vous sentirez que votre conjoint est à vos côtés, qu'il croit en vous et vous estime, moins vous réagirez sur la défensive.

&

En affirmant notre propre valeur et celle de notre partenaire, nous obéissons à l'un des deux plus grands commandements : « Tu dois aimer ton prochain comme toi-même. » (Marc 12.31) Dieu a prévu que nous nous aimions pour nous édifier l'un l'autre, et non que nous nous déchirions par des paroles insensées ou un esprit critique. Des sentiments défensifs ne sont pas condamnables, mais les réactions qu'ils déclenchent peuvent prendre la forme de péchés. Nous devons entretenir de nous-même et de notre union une estime suffisante pour prêter attention à nos sentiments. Nous ne devons pas laisser nos comportements défensifs faire obstacle à notre complicité. Dans le chapitre 17, nous visiterons le jardin d'Éden afin d'explorer la communication et l'intimité vécues par Adam et Ève, avant que le péché pénètre dans le monde.

Chapitre 17

Intimité :
nus et sans gêne

Pour bien comprendre l'intimité conjugale, je vous invite à retourner avec moi au jardin d'Éden. La description biblique du livre de la Genèse est brève mais extrêmement révélatrice. Avant l'arrivée d'Ève, Adam jouissait d'un lieu où habiter (2.8-9), d'une vocation (2.15, 19-20), de règles de vie clairement établies (2.16-17) et d'une communion parfaite avec Dieu. Beaucoup de nos contemporains y verraient la description même du paradis. Aux yeux de Dieu, cependant, il manquait quelque chose.

La solitude d'Adam

Consciemment ou non, Adam ignorait encore une certaine dimension de la vie. Peut-être Dieu l'avait-il déjà sensibilisé à son manque, en lui confiant pour tâche de nommer tous les animaux de la terre et tous les oiseaux du ciel (cf. 2.19). En observant le mâle et la femelle de chaque espèce, Adam avait sans doute pris conscience de l'absence de vis-à-vis humain. La faune entière paraissait se décliner par paire, alors que lui était seul.

La réponse de Dieu à la solitude d'Adam consista à créer Ève et à instituer le mariage. Quand Adam vit Ève, il s'écria : « Ah ! Cette fois, voici un autre moi-même, qui tient de moi par toutes les fibres de son corps. On la nommera compagne de l'homme, car c'est de son compagnon qu'elle fut tirée. » (2.23) C'est ainsi qu'il réagit spontanément en posant le regard sur Ève. Tiré d'un profond sommeil, il contempla l'œuvre de Dieu et sut qu'elle était faite pour lui. L'analyse d'Adam est révélatrice. Il a vu en Ève son vis-à-vis, issue de lui sans lui être identique. Cette image simple, mais parlante, de la création s'inscrit au cœur même de l'intimité conjugale.

Qui dit intimité ne dit pas forcément similitude. Etre proches n'implique pas de devenir identiques, de perdre notre individualité, voir nos vies fusionner en un tout unique et renoncer à notre personnalité propre. Au contraire, c'est précisément notre unicité et nos particularités qui rendent notre intimité possible. Si nous étions identiques, il n'y aurait plus rien à dévoiler, rien de neuf à découvrir ni aucune joie dans l'exploration. Parce que nous sommes différents, il existe un potentiel d'exploration et de découverte, et ce processus exaltant ajoute une toute nouvelle dimension au mariage. Deux êtres qui entrent mutuellement dans la vie l'un de l'autre, dans la joie de découvrir et d'être découverts : c'est cela l'intimité !

Quelque chose au plus profond d'Adam se reconnut en Ève. Leur rencontre n'a pas été superficielle. Le cœur même de l'humanité répondait au cœur d'un autre être humain, plus proche de lui que tout le reste de l'univers. Elle avait été formée différemment, non pas à partir de la poussière, mais avec sa propre côte.

Adam l'appela « femme » et non « homme ». S'il l'avait appelée « homme », elle aurait été son clone. Il préféra l'appeler « femme » parce qu'elle avait été tirée de lui, son compagnon. Apparentée ? Oui, mais différente, unique, complémentaire, vis-à-vis de l'homme, proche de lui, capable de le comprendre et d'être comprise de lui, capable de communiquer au même niveau, capable aussi d'être en communion avec Dieu, très intelligente, également façonnée à l'image de Dieu, et donc la seule de ses créatures capable de s'unir à l'homme avec un tel degré d'intimité.

L'un des ingrédients essentiels de l'intimité consiste en ce que chaque partenaire puisse demeurer lui-même. Elle ne doit jamais viser à conformer son conjoint à son idéal, à sa propre conception. Réduire son partenaire à l'état de clone n'est pas le but de l'intimité. A travers elle, nous nous efforçons de nous rapprocher ; il ne s'agit pas de détruire la personnalité unique de l'autre, mais bien de savoir l'apprécier. Les hommes et les femmes sont différents et, même animés des meilleures intentions, nous ne devons pas chercher à détruire ce qui nous distingue.

La réaction d'Adam se concentre ensuite sur la parenté. Quand il dit : « Voici un autre moi-même, qui tient de moi par toutes les fibres de son corps », il exprime son impression d'être apparenté à cette femme. Elle était différente de tous les animaux qu'il avait nommés, radicalement et totalement différente. Elle lui était apparentée ; elle n'était pas l'ami perdu de vue, mais bien l'ami tant attendu dont il ignorait l'existence jusque-là. Elle était la réponse à son désir intime de compagnie, de connaître un être qu'il pourrait traiter d'égal à égal.

Certains se sont demandé si le fait d'avoir été créée avec la côte d'Adam indique qu'Ève lui est inférieure. L'idée d'infériorité est absente du texte biblique. La manière dont elle fut créée est plutôt l'affirmation du potentiel d'intimité qui unit ces deux êtres. Le fait que Dieu ait choisi de façonner la femme à partir de la côte d'un homme est une autre indication de sa sagesse et de son désir de voir une profonde intimité émerger dans le mariage. Si Dieu avait créé la femme comme l'homme, à partir de la poussière, elle aurait peut-être ressemblé trait pour trait à Ève, mais elle n'aurait pas joui des mêmes liens physiques, émotionnels et spirituels avec Adam. L'acte créateur de Dieu a profondément inscrit dans l'homme et la femme un désir naturel qui les porte l'un vers l'autre : une parenté, une relation, un potentiel d'intimité extraordinaire.

C'est à cause de ces deux réalités (similitudes et différences) que l'homme est poussé à quitter « père et mère pour s'attacher à sa femme » (2.24). Il aspire profondément à connaître la femme, qui éprouve le même désir à son égard.

Nous sommes faits l'un pour l'autre. Nier nos ressemblances revient à nier notre humanité fondamentale. Nous avons été formés par le même Dieu dans le but de vivre l'un avec l'autre. Par contre, reconnaître nos ressemblances et nier nos différences vise à réfuter la réalité, mais en vain. Notre but n'est pas la concurrence, mais bien la collaboration. Nous avons été faits pour nous compléter et non pour nous concurrencer. Adam a trouvé en Ève un lieu de repos, un foyer, un parent : un être profondément et uniquement lié à lui. Et Ève a trouvé la même chose en Adam.

Paradis conjugal

A quoi ressemblait la vie de ce premier homme et de cette première femme ? A cet égard, nous devons faire appel à notre imagination, mais un verset précise toutefois : « L'homme et la femme étaient tous deux nus, mais sans éprouver aucune gêne l'un devant l'autre. » (Genèse 2.25) On dit toujours qu'une seule image est parfois plus parlante que mille mots et c'est assurément le cas ici. Homme et femme ? Nus ? Sans gêne ?... Voilà bien l'illustration la plus éclatante de l'intimité conjugale. Deux individus distincts, de valeur égale, profondément liés d'un point de vue émotionnel, spirituel et physique, entièrement transparents, sans crainte d'être connus. C'est ce genre d'ouverture, d'acceptation, de confiance et d'excitation à quoi nous faisons allusion quand nous utilisons le mot « intimité ».

Ce verset se réfère d'abord à la nudité physique, mais il implique aussi la nudité émotionnelle, spirituelle et intellectuelle. L'image évoque la transparence, le fait d'être entièrement connu par un autre. Créatures déchues et égoïstes, nous nous rebellons souvent contre cette perspective, car être connu implique la possibilité d'être condamné et rejeté. Nous craignons de ne plus être aimés par notre conjoint s'il se met à nous connaître vraiment. Dès lors, à cause de notre déchéance, il nous est pratiquement impossible d'imaginer être totalement connus par autrui. Notre éducation nous a appris à nous présenter sous notre meilleur jour, en affichant uniquement ce qui peut recueillir l'approbation, et en dissimulant nos actes ou pensées sombres et égocentriques. Une telle attitude nous sert de bouclier protecteur dans un monde pécheur, mais elle limite le degré d'intimité que nous pouvons atteindre avec notre conjoint. Or, réduire notre potentiel d'intimité absolue revient à nous détourner volontairement du plan originel de Dieu.

On ne peut qu'imaginer les conversations entre Adam et Ève. Adam lui a-t-il raconté tout ce qui s'était produit avant son arrivée ? Lui a-t-il présenté les animaux par leur nom ? A-t-il décrit son travail dans le jardin ? Combien de temps par jour passaient-ils l'un avec l'autre et combien de temps restaient-ils séparés ? Nous l'ignorons, mais nous pouvons raisonnablement penser que lorsqu'ils étaient ensemble, les conversations étaient ouvertes et sans fard. Rien n'était tu, car ils n'éprouvaient pas de crainte à être connus. Ils n'entretenaient aucun sujet de honte.

Il est difficile de lire la description biblique sans éprouver la nostalgie du paradis. Elle nous pousse à chercher et à trouver cet homme particulier ou cette femme incomparable avec lequel ou laquelle nous pourrons partager notre vie. Notre désir de connaître une relation intime nous amène à prononcer des vœux profonds et entiers l'un envers l'autre quand nous nous marions.

Eden moderne

Existe-t-il un aspect de la vie moderne comparable au bonheur parfait de la première rencontre entre Adam et Ève ? Je pense qu'il s'agit de ce qu'on appelle communément « tomber amoureux » : une expérience émotionnelle et spirituelle entièrement spontanée, comme le moment où Adam et Ève ont posé pour la première fois les yeux l'un sur l'autre. L'expérience qui consiste à tomber amoureux n'est pas du ressort humain. Elle nous dépasse complètement et présente les mêmes ingrédients que cette rencontre initiale entre Adam et Ève :
• sentiment d'émerveillement
• sentiment d'appartenance réciproque
• conviction d'avoir été faits l'un pour l'autre
• désir profond de se connaître

- impression que Dieu a arrangé notre rencontre
- désir d'être francs et de partager nos secrets les plus intimes
- conviction profonde que nous aimerons l'autre quoi qu'il arrive
- désir de se donner entièrement à l'être aimé

Dans la société moderne (qui associe le fait de tomber amoureux avant tout au sexe, à la convoitise et à l'exploitation), nous perdons parfois de vue l'amour véritable. Or, tout amour véritable porte en germe le sacrifice personnel et le don de soi. C'est à ce type d'amour que je fais allusion. Comme le disent les Écritures : « Il n'y a pas de crainte dans l'amour ; l'amour parfait exclut la crainte. » (1 Jean 4.18) Nous n'avons pas peur de nous révéler parce que nous avons l'assurance que nous serons acceptés quoi que nous partagerons de nous-mêmes. Quand la relation en est à ses balbutiements, nous pouvons éventuellement rester discrets sur nous-mêmes, mais une fois que nous sommes vraiment « amoureux », nous prenons goût à mettre notre âme à nu. Ce type d'amour nous donne le courage de prendre un engagement profond et entier devant l'autel. Un homme ou une femme prononceraient-ils jamais pareils vœux sans être amoureux ?

Vous rappelez-vous les premiers jours où vous avez éprouvé cette sensation d'amour pour votre conjoint ? Vous souvenez-vous des promesses faites en ce temps-là ? « Je te suivrai partout. » « Rien de ce que tu pourrais me dire ne diminuera jamais mon amour pour toi. » « Je ne désire que le meilleur pour toi tant que je vivrai. » Vous devriez peut-être relire quelques-unes des lettres échangées à l'époque. Vous évoquiez probablement un profond sentiment d'appartenance réciproque, la certitude que votre union correspondait à la volonté de Dieu. « Je peux être franc et honnête avec toi. » C'est cette profondeur de conviction qu'il faut pour prendre au sérieux l'engagement du mariage.

Nous ne pourrons jamais retrouver la véritable transparence édénique, mais une relation d'amour authentique nous livre en quelque sorte le reflet de l'original. Comme dans les autres domaines de la vie, le reflet de Dieu a été troublé par la chute de l'homme, mais son image n'est pas pour autant détruite. A maints égards, nous reflétons encore la main de notre Créateur. Il est regrettable que beaucoup de couples perdent rapidement ce goût de la transparence. Un mari confie : « J'ignore ce qui est arrivé après notre mariage. Auparavant, elle était tellement amoureuse, enthousiaste et attentive. Après, elle est devenue exigeante et critique. » La réponse de sa femme ? « Avant le mariage, il était si sensible. J'étais le centre de sa vie. Après, je n'ai plus semblé présenter le moindre intérêt. Tout le reste est soudain devenu plus important que moi. Comment a-t-il pu changer aussi radicalement ? »

Beaucoup de conjoints partagent les mêmes sentiments. Adam et Ève auraient pu faire le même constat, eux aussi.

༜

Il est parfois utile de se remémorer l'époque qui a précédé votre mariage, lorsque vous étiez fous amoureux l'un de l'autre. Essayez de décrire en quelques mots vos émotions et votre attitude d'alors. Quel regard portiez-vous sur votre conjoint ? Comment comparer avec votre opinion de lui aujourd'hui ? Quels étaient vos rêves d'avenir ? S'ils ne se sont pas vraiment concrétisés, que s'est-il passé ? Ces interrogations nous amènent au chapitre 18, dans lequel nous nous concentrerons sur la triste réalité du « paradis perdu ».

Chapitre 18

Les vêtements

Très vite, la transparence du jardin d'Éden fut troublée. Eve et Adam restaient faits l'un pour l'autre, mais ils n'étaient plus nus. Des pagnes en feuilles de figuier couvraient désormais leurs corps. Cet acte de dissimulation affecta aussi leur relation émotionnelle, intellectuelle et spirituelle. Il en alla de même de leur relation avec Dieu. Ils se cachèrent dans les buissons quand il leur rendit visite parce qu'ils avaient désormais des choses à lui dissimuler. Ils avaient honte de l'affronter, car ils avaient trahi sa confiance. C'est cette même trahison qui nous amène encore aujourd'hui à nous cacher de Dieu et l'un de l'autre. Si nous désirons nous conformer aux enseignements des Écritures, nous rechercherons une communion ouverte avec Dieu. Si nous violons consciemment les enseignements bibliques et négligeons les commandements divins, nous préférerons rester à l'écart de l'église et de tout ce qui peut nous les rappeler.

Pourquoi tant de couples modernes jouissent-ils d'une intimité si limitée dix ou quinze ans après leur mariage ? Au début de leur relation, ils passaient des heures à s'écouter et partager. Il se passait rarement une semaine sans qu'ils se découvrent davantage à travers diverses activités : randonnée, pique-nique ou cocooning…

Qu'est-il advenu de ce goût de l'exploration, de la franchise et du désir de proximité ? Il a très probablement subi le même sort qu'au jardin d'Éden. Le péché personnel a créé chez les conjoints un esprit de crainte, de méfiance ou de culpabilité. Ils ont désormais quelque chose à cacher. Ils ne peuvent plus se permettre d'être transparents parce que leur honnêteté engendrerait un jugement. Alors ils se protègent, ils se recroquevillent sur eux-mêmes et restent à l'écart l'un de l'autre. Ils ne sont plus sensibles à leurs ressemblances, mais uniquement à leurs différences. Ils ne sont plus à l'écoute de ce qui les rapproche, mais uniquement de ce qui les sépare. Ils ont du mal à croire qu'ils ont jadis pu être si proches. L'égoïsme a remplacé l'amour.

Au jardin d'Éden également, Ève a remplacé son amour pour Adam par ses désirs égoïstes et Adam a remplacé son amour pour Dieu par sa propre convoitise. L'amour recherche toujours l'intérêt de l'autre, mais l'égoïsme place l'ego au centre de l'univers et décrète que mes désirs sont plus importants que tout le reste. Quand l'égoïsme se substitue à l'amour, notre comportement et nos paroles nous rendent coupables et honteux. Nous savons qu'être transparents revient à se mettre à nu et se mettre à nu revient à être jugés et condamnés.

Tout commence généralement par de petites choses. Il veut aller faire du jogging ; elle veut aller faire du shopping. Il va quand même faire du jogging et pose la première pierre d'un mur de séparation. Il veut faire l'amour, elle choisit de regarder la télé très tard. Elle ajoute une brique sur le mur. Beaucoup de conjoints ont laissé ce processus égoïste prendre de l'ampleur au fil des années, au point d'en arriver à taire la plupart de leurs pensées et de leurs émotions. La part qu'ils se confient encore n'est que le sommet de l'iceberg. La majorité de leurs sentiments restent enfouis sous la surface. Un mari explique : « Si je lui disais ce que je ressens vraiment, elle me quitterait probablement. » Une épouse confirme : « J'ai peur de lui avouer ce que je pense parce que je crains sa colère. » Ces couples jouissent manifestement d'une intimité conjugale très réduite.

Nos craintes (sentiment de honte) nous poussent à nous vêtir pour éviter d'être connus et rejetés. Car nous ne voulons pas être blessés. Nous désirons préserver le plus possible notre confort présent, et nous ne partageons donc plus rien qui nous paraît potentiellement dérangeant pour notre conjoint. Certains ont ainsi accumulé les couches de vêtements émotionnels au point de devenir des inconnus pour leur partenaire. Nos pensées, nos désirs, nos frustrations et nos sentiments sont tous enterrés sous de multiples couches protectrices. Nous avons été blessés et nous avons blessé ; nous avons été trahis et nous avons trahi. Beaucoup n'ont pas abordé ces trahisons, mais y ont réagi en se cachant sous un vêtement supplémentaire.

Revenons au jardin d'Éden. Pendant combien de temps Adam et Ève sont-ils demeurés nus ? Jusqu'au jour de leur péché. Les Écritures disent : « Alors ils se virent tous deux tels qu'ils étaient, ils se rendirent compte qu'ils étaient nus. Ils attachèrent ensemble des feuilles de figuier, et ils s'en firent chacun une sorte de pagne. » (Genèse 3.7) Ils évitèrent Dieu et quand ce dernier demanda pourquoi, Adam répondit : « Je t'ai entendu dans le jardin. J'ai eu peur, car je suis nu, et je me suis caché. » (3.10) Ils avaient désormais une raison d'avoir honte. Après avoir connu la peur, l'homme et la femme ne pouvaient plus supporter la nudité. La culpabilité était trop intense, la honte insupportable. Ils se détournèrent de Dieu et aussi l'un de l'autre. L'intimité fut troublée.

La première réaction d'Adam consista à blâmer Ève (3.12) et la première réaction d'Ève consista à blâmer le serpent (verset 13). Avant la fin du jour, Dieu annonça les conséquences de leur péché, leur fabriqua des vêtements de peau d'animaux pour les couvrir et les chassa du jardin. Je me suis souvent demandé ce qu'Adam et Ève s'étaient dit après le départ de Dieu à la fin de la journée. Le paradis n'était plus qu'un souvenir, tandis que la souffrance était devenue une réalité (dans l'enfantement pour Ève et dans le travail de la terre pour Adam). L'intimité requerrait désormais des efforts. Pour être proches et connaître la joie de leur union, ils devraient passer par l'expérience douloureuse de la confession et du pardon. Sans ces deux éléments, leur peur et leur honte maintiendraient une distance entre eux. Les Écritures évoquent très peu la relation d'Adam et Ève après leur péché. Nous savons qu'ils faisaient l'amour puisqu'ils eurent des fils et des filles (5.4), mais nous ignorons à quel point ils étaient liés. Nous pouvons nous demander si Adam rappelait souvent à Ève son péché, s'il a jamais pu lui pardonner, et elle réciproquement. Combien de temps leur a-t-il fallu pour retrouver la confiance l'un envers l'autre ? Leur relation avec Dieu a-t-elle été pleinement restaurée ? Si oui, peut-être leur mariage a-t-il pu l'être aussi, mais nous ne pouvons en être sûrs.

Nous pouvons retenir de leur expérience qu'aucun couple ne connaîtra d'intimité profonde si les deux conjoints ne sont pas également proches de Dieu. Notre relation brisée avec lui alimente notre crainte et notre honte lorsque nous nous trouvons l'un devant l'autre. Si nous pouvons être face à Dieu, sachant que nous avons confessé notre péché et que nous avons été pardonnés, nous pouvons aborder notre conjoint avec la même franchise.

La confession et le pardon ayant rétabli un climat propice à l'intimité, une communication ouverte et aimante nous permettra de progresser dans la reconquête du paradis. Nos échecs nous rappellent notre potentiel de souffrance, mais nous ne devons pas laisser nos erreurs passées nous empêcher de rechercher l'idéal de Dieu pour le mariage. Prions chaque jour qu'il remplisse notre cœur d'amour pour notre conjoint. Demandons-lui de se servir de nous pour exprimer tout son amour envers notre partenaire. Cherchons à être honnêtes par rapport à nos peurs. En exprimant nos appréhensions, nous pouvons gagner de l'assurance et obtenir de l'encouragement et du soutien. Comme nous sommes des natures déchues, reconnaissons que nous possédons le potentiel de nous trahir mutuellement, de nous écarter de l'amour et de retomber dans l'égoïsme. Ce n'est pas en niant nos échecs que nous atteindrons l'intimité, mais plutôt en les admettant immédiatement et en demandant pardon. Ce désir de faire face à nos erreurs entretiendra notre potentiel d'intimité. En revanche, si nous n'abordons pas nos péchés réciproques, nous détruisons toute possibilité d'y parvenir.

Le retour vers l'intimité emprunte le même chemin que le retour vers l'amour. Il commence par le désir de confesser notre égocentrisme et de demander pardon, d'abord à Dieu, puis à notre conjoint. Vient ensuite la décision de demander à Dieu de déverser son amour dans notre cœur (cf. Romains 5.5). Il s'agit de retrouver ce qui nous a attirés l'un vers l'autre en tout premier lieu : l'amour véritable.

Dieu seul peut éveiller un sentiment aussi puissant et il l'a promis à tous ceux qui le lui demanderaient. Il nous a dit que nous étions responsables de nous aimer (Éphésiens 5.25 ; Tite 2.3-4). Or, Dieu ne nous a jamais commandé de faire quelque chose qu'il ne nous donnerait pas la force d'accomplir. L'amour est un choix. C'est une attitude, une manière de se comporter envers son conjoint. Si nous décidons d'emprunter cette voie, Dieu nous donnera la force nécessaire. Si nous aimons sur la base de la confession et du pardon, nous recréerons un climat propice à l'intimité, où nous pourrons être ouverts, sans condamner, où nous pourrons pratiquer le pardon et l'acceptation, et connaître à nouveau un sentiment d'appartenance réciproque.

Je n'entends pas par là que grâce au pardon de Dieu, nous reviendrons au jardin d'Éden. Ce ne fut pas le cas d'Adam et Ève, et ce ne sera pas le nôtre. Cependant, grâce à Jésus, nous jouissons d'une relation restaurée avec Dieu. Nous pouvons à nouveau entretenir une relation filiale avec lui. L'ouverture, la liberté et la joie de sa présence nous sont accessibles. Nous restons des créatures déchues, avec une forte tendance à pécher, mais à cause de son amour, Dieu nous tend la main et nous offre la capacité de vivre comme des êtres « renouvelés ». C'est précisément cette relation restaurée en Jésus-Christ qui rend la vie non seulement supportable, mais agréable.

Notre mariage n'atteindra jamais le degré de transparence dont jouirent Adam et Ève avant la chute. Néanmoins, grâce à Jésus-Christ et à la réalité du pardon, nous avons accès à une intimité d'une nature très différente de ce que peuvent vivre les non-chrétiens. Nous nous concentrons sur cet idéal biblique parce que nous croyons qu'il s'agit là de la direction dans laquelle Dieu nous conduit. L'apôtre Paul nous enseigne que « Dieu travaille en tout pour le bien de ceux qui l'aiment », autrement dit pour nous amener à ressembler à Jésus (Romains 8.28-29). La perfection de la ressemblance au Christ est notre objectif.

Pour ce qui est du mariage également, nous aspirons à l'idéal divin. Certains se demanderont, comme Mégane : « Pourrai-je à nouveau m'abandonner ? Auparavant, ma confiance en lui était absolue, mais elle a été trahie. Je ne sais pas si je pourrai un jour recommencer. » La réponse est oui. La confiance repose sur la conviction d'être aimé, la certitude que mon conjoint recherche mon intérêt. Elle est détruite si son comportement indique que je me trompe, s'il choisit l'égoïsme en suivant sa propre voie et ne respecte plus sa promesse d'amour. Mais la confiance peut être restaurée en inversant le processus : d'abord par la confession de l'échec et le désir de pardon, puis par la voie du comportement amoureux. En paroles et en actes, nous prouvons que nous voulons le meilleur pour notre conjoint. Après un certain temps, ce parcours d'amour ravivera la confiance.

La confiance est semblable à une plante fragile, coupée au ras du sol. Avec du temps et des soins attentifs, elle peut croître et fleurir à nouveau, et favoriser ensuite l'intimité du couple. Si une relation conjugale se caractérise par plus de distance que d'intimité, plus d'égoïsme que d'amour, et donc plus de solitude que d'unité, le couple se trouve à un carrefour. Il doit prendre une décision : poursuivre sur la voie de la solitude ou regagner le terrain perdu, voire conquérir des terres encore inconnues.

Nous appelons cette décision « engagement ». C'est un acte de la volonté par lequel deux personnes décident de marcher ensemble puis, avec l'aide de Dieu, de prendre les mesures nécessaires pour progresser vers l'intimité. Il faut du temps pour franchir ces étapes de confession, de pardon, d'amour et de confiance renouvelée. Mais, pas à pas, tout couple peut reconstruire l'intimité de sa relation.

Les Écritures enseignent la réalité du pardon et du changement réel quand une personne confesse son péché et demande l'aide de Dieu pour son avenir. Si Dieu, qui est saint, peut pardonner nos erreurs à son encontre, à plus forte raison nous, qui ne sommes pas saints, pouvons-nous pardonner nos trahisons réciproques. Si Dieu, qui nous a dotés dès le début du libre choix en vertu de son amour pour nous, continue à nous traiter en êtres libres, il ne manquera pas de nous donner la force de bien agir.

Nos échecs passés sont couverts, non pas par des vêtements de notre propre fabrication, pour reprendre l'illustration biblique, mais par les habits confectionnés par Dieu. Les Écritures parlent du vêtement de la justice du Christ. De même que Dieu a fabriqué des manteaux de peau pour Adam et Ève (en sacrifiant donc forcément des animaux), le Christ (qui a été sacrifié pour nous) nous fournit aujourd'hui une couverture appropriée, qui nous autorise à venir dans la présence de Dieu sans honte. C'est cette même réalité du pardon entre un mari et une femme qui nous permet d'être à nouveau ouverts et d'apprécier la joie de connaître et d'être connus.

ॐ

Notre relation avec Dieu est au cœur même de la construction d'un mariage intime. Adam et Ève n'ont été séparés l'un de l'autre qu'après s'être coupés de Dieu. Il en va de même pour nous. Le fait de rétablir une relation avec Dieu par la confession de notre péché et l'acceptation de son pardon nous donne accès au secours divin dont nous avons besoin pour rétablir ou découvrir l'intimité dans notre mariage. Dans les quatre prochains chapitres, nous nous concentrerons sur les différentes facettes de cette intimité : émotionnelle, intellectuelle, sexuelle et spirituelle.

Chapitre 19

L'intimité
émotionnelle

Cʼétait un après-midi glacial de février. Emilie était mon dernier rendez-vous de la journée. Elle avait appelé la veille en insistant pour me voir dès le lendemain. Sans s'embarrasser des formules de politesse habituelles, elle s'assit et s'écria : « Je ne sais pas comment l'exprimer, mais je ne me sens plus proche d'Antoine désormais ! J'ignore ce qu'il ressent parce qu'il ne me parle jamais, et je n'aime pas ce que j'éprouve moi-même. Auparavant, je pensais que notre mariage était réussi, puis il y a eu le boulot d'Antoine et les enfants qui nous ont propulsés dans deux directions différentes. Nous sommes comme deux étrangers qui vivent sous le même toit. Je ne sais pas s'il tient encore à moi. Il ne me le dit jamais et il n'agit vraiment pas comme s'il m'aimait. Quant à moi, j'ignore si je l'aime encore et je trouve ça effrayant ! »

L'appel au secours d'Émilie illustre toute l'importance de l'intimité émotionnelle dans un mariage. Sans elle, les maris et les femmes deviennent des colocataires ou des partenaires d'affaires. Le cœur du mariage est malade.

Qu'est-ce que l'intimité émotionnelle ? Il s'agit de ce profond sentiment d'être connectés à son conjoint. C'est se sentir aimé, respecté et apprécié tout en cherchant à aimer, à

respecter et à apprécier son partenaire. L'intimité émotionnelle procure de l'assurance et une vraie joie à l'idée de vivre
ensemble. Elle correspond au regard bienveillant que nous
portons l'un sur l'autre parce que nous sentons nos cœurs
battre à l'unisson.

Comment deux conjoints peuvent-ils entretenir ou restaurer cette intimité ? Je crois que tout commence par la décision
de répondre à leurs besoins émotionnels réciproques. Quels
sont ces besoins émotionnels, manifestement essentiels, pour
réussir son mariage ? Les trois plus fondamentaux sont
l'amour, le respect et l'appréciation. Se sentir aimé, c'est avoir
le sentiment que notre conjoint se soucie sincèrement de notre
bien-être. Le respect implique plutôt la conviction qu'il porte
un regard positif sur notre personne, notre intelligence, nos
aptitudes et notre personnalité. Le sentiment d'appréciation
est comblé quand notre conjoint estime à sa juste valeur notre
contribution à la relation. Quand un mari et une femme se
sentent mutuellement aimés, respectés et appréciés, ils vivent
dans l'intimité émotionnelle.

Gérer les émotions négatives

Certains couples commettent l'erreur de croire que le simple
fait de partager leurs sentiments engendre l'intimité émotionnelle. L'erreur est aisément démontrable. Quand Pierre dit à
Stéphanie : « Je me sens blessé, déçu, furieux et trahi », il
partage ouvertement son état d'esprit, mais il ne connaît
encore aucune intimité émotionnelle avec elle. Apparemment,
le comportement de Stéphanie, ou tout au moins la perception
qu'en a Pierre, a déclenché ces sentiments. Son désir de se
confier donne à Stéphanie des informations précieuses
auxquelles elle peut apporter une réponse honnête. Si elle dit :
« Je suis désolée. Je regrette mon attitude. Je voudrais pouvoir
revenir en arrière et tout effacer, mais c'est impossible. Avec
l'aide de Dieu, cela n'arrivera plus. J'espère que tu pourras me
pardonner », elle retire les décombres qui entravent leur
progression vers l'intimité émotionnelle.

Par contre, si elle dit : « Chéri, j'ignore qui t'a dit cela, mais c'est faux. Je n'ai jamais fait ça. Je te demande de vérifier tes sources parce que je t'assure que c'est faux. Si c'était vrai, je pourrais comprendre pourquoi tu te sens blessé, déçu, furieux et trahi, mais crois-moi, c'est faux.» Pierre reçoit là la possibilité de vérifier ses sources et d'établir la vérité. Ses émotions suivront en fonction de ce qu'il découvrira. S'il comprend qu'il a eu tort, il peut revenir vers Stéphanie et dire : « Je regrette d'avoir choisi de croire cela à ton sujet. C'était injuste de ma part. Je suis si heureux que tout soit faux. J'espère que tu me pardonneras d'avoir tiré les mauvaises conclusions.» Cet exemple illustre à quel point il est primordial d'exprimer ses sentiments pour bâtir l'intimité émotionnelle.

Si Pierre s'était tu, sans jamais dire à Stéphanie combien il se sentait blessé, déçu, furieux et trahi, sa souffrance aurait miné leur intimité. C'est uniquement si nous l'exprimons que nous aurons la possibilité de la traiter et de la dépasser.

Il nous arrive à tous d'éprouver des sentiments négatifs à l'égard de notre conjoint. Ils sont pratiquement tous provoqués par son attitude. Elle avait promis de repasser ma chemise pour ce soir et elle a oublié. Il avait promis de balayer la cuisine chaque samedi matin ; il est 11h30 et le sol est encore sale. Il avait espéré qu'elle se rappellerait son anniversaire ; elle a oublié. Elle aurait tant aimé un mot d'encouragement pour avoir taillé les haies, mais s'il l'a remarqué, il n'a rien dit.

Comment partager positivement nos émotions négatives ? Je vous suggère de dire à votre conjoint : « Si je me sentais mal, serait-ce le bon moment pour en parler ? » Voilà qui l'informe qu'il se passe quelque chose en vous. Vous lui donnez aussi la possibilité de se préparer émotionnellement à entendre ce qui vous dérange. Si le moment est mal choisi à ses yeux, fixez-en un autre pour partager vos sentiments.

Ma femme et moi savons que nous éprouvons tous deux régulièrement de l'amertume au sein de notre couple, et nous avons donc décidé de nous confier l'un à l'autre dès les premiers signes de malaise, afin de résoudre le problème à l'origine de notre blessure. Les conjoints qui se confient régulièrement et travaillent sur le sujet construisent leur intimité émotionnelle. Ceux qui intériorisent leurs émotions négatives finissent par se perdre dans le repli sur soi, les disputes ou les critiques ; rien qui puisse favoriser l'intimité émotionnelle.

Répondre aux besoins émotionnels

Si nous traitons positivement nos blessures, en les abordant ouvertement avec notre conjoint, nous purifions l'atmosphère. Le brouillard s'est dissipé et nous sommes libres de tendre la main vers notre conjoint pour répondre à ses besoins émotionnels : l'amour, le respect et l'appréciation.

L'amour

Comment répondre à notre besoin d'amour respectif ? Mon expérience de conseiller m'a conduit à définir cinq langages fondamentaux de l'amour [1]. Permettez-moi de récapituler brièvement ici ce que j'ai écrit dans d'autres livres à ce sujet.

Le premier langage d'amour correspond aux paroles valorisantes, à savoir utiliser des mots pour valoriser votre conjoint : « Tu es très jolie dans cette robe », « J'apprécie vraiment que tu aies nettoyé le garage », « Merci d'avoir sorti les poubelles ce matin », « Ton chant était magnifique aujourd'hui, à l'église. Tu as vraiment été très inspiré. » Le vieux proverbe hébreu dit : « Les paroles peuvent être source de vie ou de mort. » (Proverbes 18.21) Mark Twain a dit jadis : « Un compliment sincère me porte deux mois durant. » La plupart des conjoints ont besoin de plus ; je suggère un compliment par jour.

Le second langage de l'amour est celui des cadeaux. J'ai étudié l'anthropologie à l'université, et je n'ai jamais trouvé un seul peuple dans le monde qui ne considère pas le fait d'offrir un cadeau comme une expression d'amour. Un présent signifie : « Il a pensé à moi. Regarde ce qu'il m'a offert. » Le cadeau ne doit pas forcément être onéreux. N'avons-nous pas coutume de dire que c'est l'intention qui compte ? Rappelez-vous que ce n'est pas l'intention qui reste dans votre tête qui compte, mais bien le cadeau offert dans le prolongement de la pensée qui animait votre esprit. Une fleur, même

---

1. *Les langages de l'amour*, Farel, 1997

cueillie dans le jardin du voisin, peut opérer des prodiges auprès de votre conjoint. (Assurez-vous quand même que votre voisin n'y voit pas d'inconvénient !)

Le troisième langage d'amour est celui des services rendus. Il s'agit d'effectuer une tâche que votre conjoint aimerait vous voir faire : préparer un bon repas, faire la vaisselle, passer l'aspirateur, laver la voiture, tondre la pelouse, tailler les haies, changer les couches du petit, nettoyer le miroir de la salle de bains... tout ce que votre conjoint peut attendre de vous. Quand il exprime un souhait, il vous donne une idée de ce qui lui donnerait le sentiment d'être aimé. « Chéri, penses-tu que tu pourras nettoyer les gouttières ce week-end ? » Cette question ne vise pas à vous casser les pieds, mais bien à recevoir une marque d'amour.

Le quatrième langage de l'amour est celui des moments de qualité : consacrer à votre conjoint une attention sans partage. Se promener dans le quartier, sortir au restaurant, se regarder dans les yeux, s'asseoir dans le canapé sans allumer la télé, se parler, partir en randonnée un après-midi ou rester en sa compagnie... tout cela peut être un comportement très parlant pour lui ou elle. Vous vous en souciez suffisamment pour lui accorder votre temps. Si vous consacrez à votre conjoint vingt minutes d'attention ininterrompue, vous lui avez offert vingt minutes de votre vie. C'est un message émotionnel puissant.

Le cinquième langage de l'amour est celui du toucher. Nous connaissons depuis longtemps la force émotionnelle du contact physique. Se tenir la main, s'embrasser, s'étreindre, faire l'amour, passer un bras par-dessus l'épaule de votre femme ou poser votre main sur la jambe de votre mari en voiture sont autant de gestes qui expriment votre amour.

Chaque individu possède un langage d'amour privilégié parmi les cinq qui viennent d'être décrits, qui lui parlera plus profondément que les quatre autres. Or, par nature, nous pratiquons notre propre langage. Autrement dit, nous nous exprimons dans la langue qui nous permet personnellement de nous sentir aimés. Mais s'il ne s'agit pas du langage de prédilection de notre conjoint, il ne signifiera pas pour lui (elle) ce qu'il signifie pour nous sur le plan émotionnel. La clé pour répondre au besoin d'amour de notre conjoint est d'apprendre à maîtriser son langage d'amour privilégié.

Un mari peut tondre la pelouse, laver la voiture, balayer les feuilles mortes et aspirer la moquette pour montrer son amour à sa femme, mais si le langage préféré de son épouse correspond aux moments de qualité, son réservoir d'amour peut très bien rester vide. Le mari s'irritera qu'elle puisse se dire mal aimée alors qu'il accomplit toutes ces tâches pour elle. Le problème n'est pas son manque de sincérité, mais bien le recours au mauvais langage d'amour.

La femme qui adresse souvent des paroles valorisantes à son mari peut être persuadée d'exprimer son amour avec force. Pourtant, si le langage privilégié de son mari est le contact physique et qu'elle le touche rarement avec tendresse, son réservoir d'amour restera vide malgré la sincérité de son épouse.

Apprendre à pratiquer le langage de son conjoint ne sera pas forcément aisé. L'individu qui a grandi dans un foyer où les paroles valorisantes étaient rarissimes éprouvera des difficultés à trouver les bons mots pour son conjoint. Pourtant, si nous voulons connaître l'intimité émotionnelle, il est nécessaire que nous pratiquions le langage d'amour préféré de notre conjoint. Si le mari et la femme parlent tous deux sérieusement le langage de l'autre, ils s'engagent sur la bonne voie. Le besoin de se sentir aimé est peut-être le plus fondamental de tous. Quand nous y répondons vraiment, nous franchissons un pas décisif vers l'intimité émotionnelle.

Le respect

Faits à l'image de Dieu, nous sommes des créatures de grande valeur : hommes et femmes. Au plus profond de nous, nous savons que nous méritons le respect et la dignité, car nous portons l'empreinte de Dieu. Par conséquent, quand les paroles ou l'attitude de notre conjoint nous humilient, nous nous sentons outragés. Le respect se manifeste avant tout par cet état d'esprit : « Je reconnais en toi une créature de grande valeur, qui a reçu de Dieu des aptitudes, des talents et des dons spirituels. Je te respecte donc comme personne. Je refuse de te mépriser par des remarques critiques sur ton intelligence, tes opinions ou ton raisonnement. Je vais chercher à te comprendre ; je te donne la liberté de penser autrement et d'éprouver des émotions différentes des miennes. »

Cette attitude vous prédispose à respecter la liberté de votre conjoint d'être un individu à part entière. Il n'existe pas deux êtres humains identiques et le respect dit en substance : « C'est une façon intéressante de voir les choses », et non « C'est le truc le plus stupide que j'aie jamais entendu. » Au fil des années, j'ai été étonné de constater avec quel manque d'humanité les conjoints pouvaient parfois se traiter. Je me rappelle ce mari qui a dit à sa femme : « J'ai du mal à croire que tu aies pu faire des études et que tu réfléchisses aussi bêtement. » Ou cette épouse qui a décrété : « Si tu avais un cerveau de la taille d'un petit pois, tu comprendrais pourquoi je suis en colère. » Des remarques aussi humiliantes engendrent l'animosité et non l'intimité.

Si vous voulez communiquer votre respect à votre conjoint, vous devez choisir de le traiter comme un être humain. Or, tous les êtres humains sont des individus dignes d'être respectés. Tous sont uniques parce qu'ils ont été créés par un Dieu extrêmement créatif. La première marque du respect consiste à laisser son conjoint être la personne que Dieu avait l'intention qu'il devienne quand il l'a créé. Vouloir le contraindre à adopter votre point de vue trahit un manque de respect pour sa personnalité.

Considérant que votre conjoint a reçu des dons de Dieu, vous devez valoriser et encourager ce qui fait de lui un être unique. « Jamais je ne l'aurais envisagé sous cet angle. Ton point de vue m'est très utile » est une expression empreinte de respect. « Je ne comprends pas que tu puisses envisager la situation de cette manière. N'importe quel idiot comprendrait qu'il fait erreur ! » communique le contraire. Nous pouvons être en désaccord avec notre conjoint sans pour autant le dénigrer.

Une femme n'attend pas de son mari qu'il l'approuve constamment, mais elle n'attend pas non plus de lui qu'il dise de ses idées qu'elles sont stupides. Un mari sait qu'il n'a pas toujours raison, mais il ne désire pas être traité de menteur.

Le respect dit : « Chéri, je ne suis pas d'accord avec toi, mais je sais qu'il doit y avoir de bonnes raisons qui te poussent à envisager la situation sous cet angle. Quand tu auras le temps, j'aimerais mieux connaître ton avis sur la question. » Ou : « Chérie, je regrette que tu te sentes blessée. Ce n'était pas mon intention. Parlons-en. »

L'irrespect découle souvent d'un manque d'assurance sur le plan émotionnel. Si je ne suis pas sûr de moi, je peux humilier mon conjoint ou ses idées pour m'élever. Par contre, si j'éprouve de l'assurance par rapport à ma propre personnalité, comprenant que je suis un enfant de Dieu et que j'ai une valeur infinie, je suis libre de laisser mon conjoint être lui-même.

Une épouse a soulevé la question suivante : « Comment respecter son mari quand son style de vie viole les enseignements de la Bible ? » Ma réponse est : « Vous n'avez pas à respecter son style de vie, mais la liberté dont il jouit de choisir sa façon de vivre. » Dieu a fait de nous des créatures dotées du libre arbitre, sachant parfaitement que nous prendrions parfois de mauvaises décisions. Il ne nous ôte pas ce privilège même quand nos choix sont contraires à sa Parole. Toutefois, et parce qu'il nous traite en êtres responsables, il nous laisse assumer les conséquences de nos décisions fâcheuses. De la même façon, une femme manifeste du respect pour son mari en disant : « Je souffre de te voir à nouveau te comporter à l'opposé de ce que la Bible enseigne. Je sais que tu en subiras les conséquences et cela me fait profondément mal parce que je t'aime. Mais je veux que tu saches que je respecte ton droit de prendre tes propres décisions. »

L'appréciation

Le troisième élément de l'intimité émotionnelle est le sentiment d'être apprécié. Exprimer notre appréciation, c'est reconnaître la valeur de la contribution de notre conjoint à notre relation. Chacun d'entre nous dépense son énergie et ses capacités chaque jour de manières spécifiques qui profitent à notre relation. Savoir que notre conjoint reconnaît nos efforts et les apprécie favorise notre intimité émotionnelle. L'appréciation peut donc se concentrer sur notre observation des agissements ponctuels de notre conjoint : « Il fait si propre ici. J'admire vraiment tout le travail que tu as abattu aujourd'hui. » « Ce rôti est le meilleur que j'aie jamais goûté. Merci d'avoir pris le temps de le préparer. » « Chéri, je ne prends pas toujours la peine de te le dire, mais je veux que tu saches combien j'apprécie que tu fasses le lit chaque matin. » « Je suis reconnaissante que tu tondes la pelouse chaque quinzaine. Certaines de mes amies se plaignent de devoir attendre deux mois. J'apprécie beaucoup ta régularité et ton travail. »

L'appréciation peut aussi se concentrer, non pas sur le comportement de notre conjoint, mais sur ses aptitudes : « J'aime t'entendre chanter. Tu es si doué. » « Dieu t'a vraiment donné le don d'enseigner. Je m'émerveille de ta capacité à toujours amener le groupe vers une discussion approfondie. » « J'apprécie vraiment que tu sois si doué pour tenir les comptes. Tu sais que ce n'est pas mon point fort et je me réjouis des dons que tu possèdes dans ce domaine et de la façon dont tu gères notre argent. » « Je veux que tu saches que je suis sensible à tous les travaux que tu fais dans la maison. Tu nous permets d'épargner des milliers d'euros chaque année parce que tu es capable d'assumer beaucoup de réparations toi-même. J'ai vraiment de la chance de t'avoir pour mari. »

L'appréciation peut aussi porter sur la personnalité de notre conjoint : « Je suis tellement reconnaissante de ton optimisme dans la vie. Certaines de mes amies me disent que leur mari est toujours déprimé, qu'il voit tout en noir et qu'il n'est pas agréable d'être en sa compagnie. C'est différent, chez nous. Tu es toujours de bonne humeur. Dans n'importe quelle situation, tu sais discerner le bon côté des choses. Je veux que tu saches que j'apprécie vraiment cette facette de ta personnalité. » « Quand nous partons en vacances, je suis tellement soulagé que tu planifies tout. Si cela dépendait de moi, tu sais que nous ne trouverions probablement pas de chambre d'hôtel convenable, mais tu sais organiser nos séjours de façon à nous permettre de nous amuser et de nous détendre parce que tu as pris soin de chaque détail. Je veux que tu saches combien j'apprécie cela. » « Tu sais que, sans toi, je mènerais vraiment une existence ennuyeuse. J'apprécie vraiment ta spontanéité. Tu m'as permis de vivre un tas d'aventures folles que je n'aurais jamais osé entreprendre seule. C'est tellement agréable de vivre avec toi. »

Nous désirons tous nous sentir appréciés. Je me rappelle une dame qui disait de son mari alcoolique, incapable de garder un emploi plus de six mois : « Mais il jardine merveilleusement bien. » Exprimer son appréciation des côtés positifs de son conjoint est une puissante source de motivation, qui l'encouragera à cultiver ce qui suscite l'admiration. N'attendez pas que votre conjoint s'améliore. Prenez-le là où il en est aujourd'hui, exprimez votre appréciation et regardez-le s'épanouir.

ᣔ

Dans ce chapitre, nous avons considéré les ingrédients favorables à l'intimité émotionnelle : l'amour, le respect et l'appréciation. Nous avons aussi abordé la nécessité de partager nos émotions négatives respectives et d'y répondre pour qu'elles ne deviennent pas des obstacles à l'intimité émotionnelle. Dans le chapitre 20, nous nous intéresserons à l'intimité intellectuelle.

Chapitre 20

L'intimité intellectuelle

Dans les circonstances de la vie, nos pensées et nos sentiments sont entremêlés de manière indissociable. J'ai toutefois choisi de les traiter séparément dans le but de mieux cerner le développement de ces lignes d'intimité parallèles. Par intimité intellectuelle, j'entends cette complicité qui existe entre des conjoints qui ont appris à partager librement leurs pensées. Ils développent une compréhension mutuelle en pénétrant dans leur univers intellectuel respectif. Chaque conjoint se sent alors admis dans la pensée de l'autre, et non tenu à l'écart.

Les avis partagés peuvent être profonds et avoir une portée significative, mais ils peuvent aussi être tout à fait banals et sans incidence sur le cours de notre vie. Les pensées peuvent concerner de grandes décisions à prendre ou de simples informations à transmettre. Leur nature et leur portée dépendront manifestement beaucoup de la réaction émotionnelle de notre conjoint. Ainsi, le projet d'acheter un bateau de 50 000 euros appelle une réponse plus réfléchie que l'envie d'acheter un sandwich. Dans les deux cas, l'intimité intellectuelle consiste en la liberté de partager nos pensées respectives, avec l'assurance que nous serons entendus et que nous recevrons une réponse franche et attentive de notre conjoint.

Nous connaissons tous le cas de l'épouse qui travaille pour permettre à son mari d'achever ses études. Elle consacre la majeure partie de son énergie à son emploi et aux enfants, tandis que son mari s'épanouit intellectuellement. Peu après l'obtention de son diplôme, ils se séparent. Ce scénario est fréquent, et dans de nombreux cas, le problème réside en partie dans l'absence d'intimité intellectuelle entre les conjoints. Ils évoluent dans des univers complètement différents et s'éloignent progressivement l'un de l'autre.

Dans une autre situation, la femme embrasse une nouvelle carrière qu'elle trouve enthousiasmante et intellectuellement motivante. Son mari manifeste peu d'intérêt pour son emploi et elle cesse rapidement de lui parler des aspects les plus intéressants de son travail. Ils s'éloignent l'un de l'autre et le mari rend l'épouse responsable de leur échec, mais le vrai coupable est le manque d'intimité intellectuelle.

Le fait d'évoluer dans des univers différents plusieurs heures par jour ne doit pas forcément nous éloigner. Le problème réside plutôt dans l'absence de communication intellectuelle : celle-ci consisterait à partager ses pensées, ses préoccupations professionnelles, ses expériences réciproques et écouter avec intérêt. Un mari actif dans un domaine très technique m'a confié un jour : « Nous sommes mariés depuis seize ans. A ce carrefour de notre union, je ne peux mener la moindre conversation intelligente avec ma femme parce que nos mondes sont trop éloignés. Elle ne comprend absolument rien de mon quotidien et s'y intéresse visiblement très peu. » Son constat trahit un manque d'intimité intellectuelle.

Les conjoints n'ont pas forcément besoin de discuter du moindre détail technique de leurs professions ou de leurs activités respectives. Ils devraient cependant en connaître suffisamment pour pouvoir communiquer et se sentir proches. Une visite sur le lieu de travail est souvent une démarche positive pour améliorer la communication et renforcer l'intimité intellectuelle.

D'un autre côté, l'intimité intellectuelle n'est pas nécessairement centrée sur notre profession. Elle résulte du partage des idées, des expériences et des désirs, ouvertement exprimés. Les conjoints qui apprennent à entretenir leur intimité intellectuelle dans une atmosphère franche et réceptive constateront que la conversation peut s'avérer passionnante. Tenter de partager pareilles informations dans un contexte lourd sur le plan émotionnel peut en revanche se révéler impossible. C'est pourquoi le développement de l'intimité émotionnelle (décrite au chapitre 19) importe tant.

L'art d'écouter

Notre silence s'explique en grande partie par notre incertitude quant à la réaction de notre conjoint. L'écoute de qualité crée donc un climat propice à une conversation ouverte. Un mari qui s'était efforcé de partager trois anecdotes sur sa journée (comme nous l'avons suggéré dans un précédent chapitre) m'a confié après quelques semaines d'efforts : « Je n'ai vraiment pas l'impression que ma femme s'intéresse à ce que je lui raconte. » Sa perception du désintérêt de son épouse est peut-être faussée par son propre manque d'assurance, mais elle peut aussi être due à la faible aptitude de sa femme pour l'écoute.

La plupart d'entre nous préfèrent partager leurs idées plutôt qu'entendre celles des autres. Or, il faut deux bons auditeurs pour réussir un mariage intime. Les études ont démontré que les mariages boiteux affichent un degré élevé d'incompréhension entre conjoints, une incompréhension qui est souvent le fruit d'une mauvaise écoute.

Si je me sens incompris, je peux me sentir rejeté. Si je me sens rejeté, je parlerai moins. Méditer le verset de Proverbes 18.2 nous serait profitable à tous : « Ce qui intéresse le sot n'est pas de comprendre, mais de faire étalage de ses propres pensées. »

L'intimité intellectuelle exige que nous partagions nos idées, mais il est tout aussi important d'écouter celles de notre conjoint. Les entendre, les comprendre et les accepter, même si nous ne sommes pas d'accord, est fondamental pour engendrer l'intimité intellectuelle. Aucun de nous ne peut livrer

librement ses pensées si elles sont systématiquement contre-
dites et condamnées.

Beaucoup n'ont jamais appris à accepter une idée qu'ils
désapprouvent. Ils confondent acceptation et approbation.
Or, l'acceptation signifie laisser à la personne sa liberté de
penser, tandis que l'approbation consiste à marquer son
accord avec ses conclusions. Nous pouvons toujours accepter
l'avis de notre conjoint même s'il nous arrive de ne pas être
d'accord avec lui.

L'approbation s'exprime par des remarques telles que : « Je
suis d'accord avec toi », « O.K., faisons comme ça », « C'est
une merveilleuse idée », « Cette perspective me plaît »,
« Voilà un concept brillant. » L'acceptation, par contre, passe
par des expressions comme : « C'est une pensée intéressante.
Je ne suis pas certain d'être d'accord, mais cela vaut la peine
d'y réfléchir », « C'est vraiment là ce que tu penses de cette
idée ? Je suis surpris. Je ne me doutais pas du tout que c'était
là ton opinion », « Je ne suis pas totalement à l'aise avec cette
conception, mais si c'est ce que tu penses vraiment, nous
allons devoir trouver une solution à nos différences parce que
je respecte ta liberté de penser. » Ces affirmations ne
cherchent pas à nier le désaccord, mais elles ne condamnent
pas davantage les pensées de l'autre. Le but de l'écoute n'est
pas de juger, mais bien d'entendre ce que son conjoint pense,
de prendre conscience de ses idées et de pénétrer dans son
monde.

Une autre facette de l'écoute consiste à consacrer toute
son attention à son conjoint quand il parle. Il y a quelque
temps, j'ai effectué deux démarches administratives successi-
ves sur rendez-vous le même après-midi. Pendant que je
parlais au préposé du premier bureau, il a continué à ouvrir
son courrier, à prendre des notes et à ranger des dossiers. Il
m'a à peine regardé. J'ai rapidement compris qu'il ne s'intéressait pas à notre conversation. Quand j'ai pénétré dans le
bureau de la seconde personne, elle a éteint son ordinateur,
posé un livre au sommet du dossier sur lequel elle travaillait,
avant de se tourner vers moi pour me faire face. Ensuite, elle

m'a regardé pendant notre entretien et m'a donné l'impression que rien ne pouvait être plus important que notre conversation. La communication et l'intimité intellectuelles sont meilleures si nous accordons notre entière attention à notre interlocuteur pendant la conversation.

Certains s'enorgueillissent de pouvoir à la fois regarder la télévision, écouter la radio, lire un livre et converser avec leur conjoint. C'est possible (je ne mets pas en doute leurs capacités), mais je pense que l'écoute sur plusieurs fronts ne favorise pas l'intimité intellectuelle. Si ma femme a l'impression que je ne m'intéresse pas à ce qu'elle dit parce que mon attention est distraite par d'autres choses, elle peut perdre l'envie de se confier. L'attention sans partage permet de communiquer son amour et sa sollicitude. Pour créer le meilleur climat possible pour l'intimité intellectuelle, nos actes doivent montrer à notre conjoint que rien n'est plus important que ce qu'il a à dire.

Il arrive que nous ne puissions pas accorder notre totale attention. La meilleure façon de gérer ces situations de manière constructive consiste simplement à dire la vérité. Un supporter acharné de football peut dire à sa femme : « Les deux prochaines minutes sont les plus cruciales. Attends la fin du match pour que je puisse t'écouter sans être distrait. Je veux entendre ce que tu as à me dire et être sûr de bien comprendre. » La plupart des gens réagissent positivement à pareilles explications. Par contre, si le conjoint continue à fixer l'écran de télévision alors que sa femme lui parle, il ne manquera pas de la blesser.

« S'arrêter, regarder et écouter » est une bonne règle à appliquer quand votre conjoint parle. Vous pouvez aussi améliorer la communication par des signaux non verbaux qui démontrent votre degré d'attention : hocher la tête, rapprocher votre chaise, éteindre la télévision, poser la main sur sa jambe ou son bras et autres gestes susceptibles de communiquer votre intérêt pour ses propos.

Pour bien écouter, il est nécessaire de se concentrer. Efforcez-vous de comprendre le message transmis par votre conjoint. Les mots revêtent souvent des significations différentes selon les individus. C'est pourquoi vous devez poser des questions pour clarifier le sens du message. Bon nombre d'incompréhensions surviennent parce que nous supposons avoir compris sa pensée alors qu'en fait, nous nous fourvoyons complètement.

Récemment, ma femme et moi avons dirigé une retraite consacrée à l'enrichissement conjugal. Alors que j'allais prendre une douche le samedi matin, elle m'a dit :

– Chéri, peux-tu accrocher ma robe au dos de la porte ?

Une robe pendait au rideau de la douche. J'ai supposé qu'il s'agissait du vêtement en question et qu'elle ne voulait pas que je le mouille en me lavant. J'ai donc sorti la robe de la salle de bains et je l'ai installée avec le reste de ses vêtements. Trente minutes plus tard, elle est entrée dans la pièce en s'écriant :

– Tu n'as rien compris !

– Rien compris de quoi ? me suis-je étonné.

– Je t'avais demandé d'accrocher ma robe au dos de la porte.

– Oui, c'est ce que j'ai fait.

– Non, a-t-elle corrigé. Tu l'as accrochée avec le reste des vêtements. Je voulais la suspendre au dos de la porte de la salle de bains pour que la vapeur la défroisse.

– Oh, ai-je fait. En effet, je n'avais rien compris. Je suis désolé.

C'était un détail et il n'avait infligé aucun dégât irréparable à notre mariage, mais si j'avais appliqué le principe de l'écoute active, j'aurais posé des questions.

Les précisions demandées doivent avoir pour but de comprendre les idées du conjoint. Un mari dit à sa femme :

– Je ne suis pas sûr que j'aurai achevé ce projet pour vendredi.

– Tu veux dire que tu crains de manquer de temps pour terminer dans les délais ?

– Ce n'est pas une question de temps. Je ne pense pas avoir l'information dont j'ai besoin et je ne sais pas vraiment où la trouver.

– Alors, c'est le manque d'information, le problème ?

– Oui, reprend le mari, et je ne suis plus vraiment sûr de vouloir faire ce travail. Je suis fatigué de rédiger des rapports que personne ne lit jamais.

– Donc, tu as l'impression qu'une bonne partie de ce qu'on te demande de faire au boulot est une perte de temps ?

Et les voilà lancés dans une conversation sur sa satisfaction au travail et l'éventualité de changer d'emploi.

La demande de précisions ne doit jamais acculer le conjoint dans une impasse intellectuelle en contestant la valeur de ses propos. La conversation aurait été radicalement abrégée si l'épouse avait réagi à la première remarque de son mari en disant : « Mais si, tu as tout le temps. Je suis certaine que tu y arriveras. » Cette affirmation aurait probablement mis un terme à l'échange et l'épouse n'aurait jamais connu les sentiments de son conjoint par rapport à son travail. Clarifier ses propos trop fréquemment peut devenir pesant, mais le processus débouche souvent sur des conversations qui favorisent l'intimité intellectuelle.

Un climat propice à la communication intellectuelle

Chaque individu est unique et ce qui s'avère utile pour l'un peut se révéler nuisible pour un autre. En décrivant vos impressions sur votre manière de parler et d'écouter, vous pourriez découvrir de nouvelles façons de communiquer. Votre conjoint peut trouver pesant que vous exploriez sa pensée en posant des questions, mais il peut aussi les accueillir favorablement. Votre épouse attend peut-être un encouragement après avoir partagé une idée. Si vous lui adressez des remarques comme « Je comprends », « Je suis tout à fait d'accord avec toi sur ce point », « Oui », « Je vois », elle peut aussi bien être stimulée à parler davantage que trouver ces expressions paternalistes et pesantes.

Votre conjoint peut souhaiter recevoir votre avis sur ses idées, mais le contraire est également possible et vos appréciations pourraient l'amener à se taire presque immédiatement. Si vous dites, par exemple : « Je ne suis pas d'accord avec ça » ou « Je pense que cette idée est mauvaise », vous pourriez très bien tarir le flux des informations transmises ou même déclencher une dispute. Il peut donc s'avérer extrêmement utile de décrire ce qui vous encourage ou vous décourage de parler.

Aimeriez-vous que votre conjoint acquiesce, qu'il vous regarde dans les yeux pendant votre discours, qu'il se penche vers vous, ou ces attitudes vous agacent-elles ? Quand vous partagez une idée et que votre mari la désapprouve, comment préférez-vous qu'il exprime son désaccord ? De quelle façon pourrait-il partager son avis sans vous donner l'impression de condamner le vôtre ? Serait-il utile qu'il commence par dire : « Je veux que tu saches que tu es absolument libre de croire ce que tu veux, mais j'aimerais aussi partager mon point de vue » ? Ou préférez-vous : « Cette idée est très intéressante et tu as peut-être raison, mais laisse-moi te donner un autre point de vue » ? Dites explicitement à votre conjoint ce qui favoriserait pour vous la communication intellectuelle.

Des conjoints qui ignorent comment alimenter la communication sont davantage susceptibles de l'enrayer par leurs paroles ou leurs actes. Souvent, ces modèles de communication, malsains à votre insu, font obstacle depuis des années. Si nous découvrons et supprimons ces entraves, nous améliorerons notre intimité intellectuelle.

Une épouse confie : « Chaque fois que je partage une idée avec mon mari, il se jette dessus comme un chien enragé et la réduit en miettes. J'en sors avec le sentiment d'être un échec total à ses yeux. J'ai appris à ne pas me dévoiler lorsque je lui livre mon avis. » Il est possible que ce mari ne sache pas à quel point sa manière de communiquer nuit à leur intimité intellectuelle.

Un mari dit : « Je m'inquiète de savoir comment nous parviendrons à réunir les fonds nécessaires pour financer les études de Maude », et sa femme répond : « Les chrétiens ne devraient jamais se tourmenter. Pourquoi t'inquiètes-tu ? Tu sais que Dieu pourvoira », et elle tend la main vers sa Bible pour lui lire le verset en question. Il faudra certainement attendre longtemps avant qu'il lui confie à nouveau ses angoisses. Il n'attendait pas un sermon de sa part, mais bien sa compréhension et son soutien moral. Il voulait qu'elle sache ce qui le préoccupait. Il avait besoin d'être accepté tel qu'il était à ce moment-là. La réponse superficielle de sa femme lui a donné l'impression qu'elle comprenait très peu son dilemme. Elle a traité avec légèreté un sujet très grave pour lui. Apprendre à reconnaître ces réflexes de communication négatifs et les modifier contribuera à approfondir la communication et l'intimité intellectuelles des conjoints.

Il est crucial, pour développer l'intimité intellectuelle, de créer un climat de sécurité dans lequel il est possible de parler. Si nous craignons que notre conjoint utilise contre nous l'information partagée, nous serons plutôt réticents à nous exprimer. Si nous croyons qu'il s'opposera systématiquement à nos idées, nous répugnerons à les partager. « C'est une idée intéressante. J'aimerais en savoir plus » engendre un climat de communication positive, alors que « Où as-tu été pêcher ça ? Tu sais que ce n'est pas biblique » met un terme à la conversation ou déclenche une dispute. L'intimité intellectuelle s'évanouit.

&

J'ai choisi de décrire l'intimité émotionnelle et intellectuelle avant l'intimité sexuelle parce que les trois sont directement liées. Le degré d'intimité émotionnelle et intellectuelle donne un avant-goût de la qualité de l'intimité sexuelle. Le couple qui accorde peu d'attention aux chapitres 19 et 20, mais s'attend malgré tout à accomplir de grands progrès vers l'intimité sexuelle, sera très probablement déçu.

Chapitre 21

L'intimité
sexuelle

Dieu est le créateur de la sexualité. Elle est donc bonne. Il est parfois difficile de se le rappeler dans une société qui a déjà tant exploité le sujet. En effet, le sexe sert de support publicitaire à pratiquement n'importe quel produit, depuis les automobiles jusqu'au dentifrice. Dans les films d'espionnage, la sexualité est une arme pour parvenir à ses fins. Au cinéma et dans les pièces de théâtre modernes, l'infidélité passe pour la norme. La plus grande exploitation est sans doute le fait du secteur de la pornographie qui brasse des millions d'euros et qui prostitue la sexualité humaine pour faire du profit. On pourrait se demander : « Dieu éprouve-t-il vraiment le moindre intérêt pour le sujet ? » Il semblerait que Satan soit le père de la sexualité et qu'il s'agisse là de l'un de ses outils les plus efficaces. C'est pourtant tout le contraire : Dieu a créé la sexualité et Satan l'a déformée.

La Bible dit : « Que le mariage soit honoré de tous, et le lit conjugal exempt de souillure. Car Dieu jugera les débauchés et les adultères [1]. » (Hébreux 13.4) Le mot traduit par « lit » est le terme grec *koite*, qui est également la racine du mot « coït » ou « relation sexuelle ». Le message est clair. Le mariage est une

---

1. Version Segond révisée dite à la Colombe.

relation honorable et l'acte sexuel conjugal une expérience merveilleuse. En dehors du mariage, la fornication (terme biblique usuel décrivant la relation sexuelle avant le mariage) et l'adultère (terme biblique usuel décrivant la relation sexuelle avec un partenaire autre que son conjoint) sont condamnés.

Quel est donc cet acte que les Écritures décrivent comme une expérience merveilleuse dans le mariage, mais condamnent si fermement en dehors ? Si nous comprenons le but de la relation conjugale, peut-être comprendrons-nous mieux l'interdiction qui pèse sur les relations sexuelles extraconjugales. Les Écritures disent : « Dieu créa les êtres humains à sa propre ressemblance ; il les créa homme et femme. » (Genèse 1.27) Le fait d'être un homme ou une femme n'est pas une innovation récente ni l'œuvre de Satan. La sexualité porte clairement la mention « Fabriquée par Dieu ». Il a fait de nous des créatures sexuées, puis il a constaté « que tout ce qu'il avait fait était vraiment une très bonne chose » (Genèse 1.31). Celui qui a créé la sexualité et l'a décrétée bonne nous a aussi révélé le but de l'acte sexuel et les raisons pour lesquelles il l'a réservé au mariage.

Buts de la relation sexuelle

Procréation

Le but le plus manifeste de la relation sexuelle est la reproduction. Dans Genèse 1.28, Dieu dit à Adam et Ève : « Ayez des enfants, devenez nombreux, peuplez toute la terre et dominez-la. » Il a été dit qu'il s'agissait là du commandement de Dieu que nous avons respecté avec le plus de succès, car nous avons bel et bien rempli la terre. Dans la Bible, les enfants sont toujours considérés comme une bénédiction de Dieu. Par exemple : « Des enfants, voilà les vrais biens de famille, la récompense que donne le Seigneur ! Les fils qu'un homme a dans sa jeunesse sont comme des flèches dans la main d'un guerrier. Heureux l'homme qui peut en remplir son carquois ! » (Psaumes 127.3-5)

Avec la capacité d'enfanter, Dieu nous a donné la possibilité de participer à la création. L'acte sexuel présente le potentiel de réunir la semence de la femme et celle de l'homme, donnant ainsi naissance à un être entièrement nouveau. La plupart des parents admettent qu'il existe peu de joies plus grandes que celle de contempler le visage d'un nouveau-né et d'y voir à la fois son reflet et celui de son conjoint. Nous avons investi de nous-mêmes dans cet enfant et nous sommes profondément engagés envers son bien-être. C'est la méthode choisie par Dieu pour garantir aux petits un lieu où grandir en toute sécurité. Un homme et une femme engagés l'un envers l'autre pour la vie offrent le meilleur environnement possible pour éduquer des enfants. Dieu a donc indiqué que l'acte sexuel, qui permet de produire ces enfants, devait être réservé au contexte conjugal.

Intimité
Le second objectif de la relation sexuelle est l'intimité et la complicité. Nous n'avons pas été créés pour vivre dans l'isolement. Dieu lui-même a dit d'Adam : « Il n'est pas bon que l'homme reste seul. » (Genèse 2.18) Comme nous l'avons souligné précédemment, le mot hébreu rendu par « seul » signifie littéralement « coupé, isolé ». La réponse de Dieu à la solitude d'Adam fut : « Je vais lui faire une aide qu'il aura comme partenaire. » Quand Dieu créa Ève, il décréta : « Ils deviendront tous deux un seul être. » (Genèse 2.24) Pratiquement tous les commentateurs conviennent que l'expression « un seul être » se réfère avant tout à la relation sexuelle. Dans le contexte de l'union sexuelle, nous exprimons notre sentiment d'appartenance le plus profond. Elle est bien plus qu'un acte physique. Elle implique nos émotions, notre esprit, nos pensées : l'être tout entier. Le mot « relation » transmet lui-même l'idée de dialogue, de partage et d'échange. Il n'existe aucune expérience humaine plus intime que l'acte sexuel. Il célèbre notre intimité émotionnelle, intellectuelle et spirituelle. Il forge un lien incomparable.

Cette communion ne peut être dissociée de l'union intellectuelle, émotionnelle, sociale et spirituelle. C'est précisément l'intimité dans ces domaines qui plante le décor pour que la relation sexuelle serve son but ultime. En elle-même, la relation sexuelle n'engendrera pas un mariage intime, même si elle renforce considérablement notre proximité. Elle est à la fois le point culminant, la célébration de la relation profonde et intime entretenue l'un avec l'autre, et le moyen de la prolonger. L'acte sexuel implique donc l'être tout entier, comme l'illustre l'apôtre Paul :

> Vous savez que vos corps sont des parties du corps du Christ. Vais-je donc prendre une partie du corps du Christ pour en faire une partie du corps d'une prostituée ? Certainement pas ! Ou bien ne savez-vous pas que l'homme qui s'unit à une prostituée devient avec elle un seul corps ? Car l'Écriture déclare : « Les deux deviendront un seul être. »

> ~ *1 Corinthiens 6.15-16*

Paul exprime à la fois une vérité spirituelle et une vérité physique. Dans le domaine spirituel, nous sommes unis au Christ de la manière la plus profonde possible, de sorte que nous ne faisons qu'un avec lui, telles les parties de son corps. A l'échelle humaine, Paul évoque l'absurdité de s'unir à une prostituée, une femme avec laquelle nous n'entretenons aucune relation ni aucun engagement. Parce que l'acte sexuel crée un lien, il ne peut exister de sexualité de hasard. Dans le contexte de la relation sexuelle, il se passe quelque chose émotionnellement, socialement et spirituellement, que nous le voulions ou non.

Les poursuites légales parfois entamées après un adultère sont révélatrices de la nature sociale de cette expérience. Le traumatisme émotionnel fait de culpabilité, de colère, d'amertume, de solitude, etc., engendré par une relation extraconjugale révèle que l'acte n'a pas déconnecté nos émotions. Les maladies sexuellement transmissibles nous rappellent que le rapport sexuel est un acte physique. La condamnation divine de la sexualité extraconjugale prouve qu'elle possède une dimension spirituelle. Le fait que notre esprit revive l'expérience, à la fois dans ses aspects négatifs et positifs, bien après l'acte lui-même, démontre que notre intellect était aussi impliqué dans le processus. Ainsi, la relation sexuelle engage l'être tout entier. Elle ne peut pas se résumer à un acte purement physique, servant à procurer un soulagement ou un plaisir momentané.

Plaisir

Certains chrétiens éprouvent des difficultés à admettre le fait que Dieu ait pu créer la relation sexuelle pour notre plaisir. Ils imaginent Dieu penché au balcon du ciel et décrétant : « Si quelqu'un s'amuse là en bas, qu'il soit puni sur-le-champ ! » Cette vision n'est pas conforme à la Bible, qui rapporte que Dieu a fait beaucoup pour notre plaisir, en créant notamment la relation sexuelle. Par exemple, dans Deutéronome 24.5, Dieu donne ces instructions à Israël : « Un homme qui vient de se marier est dispensé de partir à l'armée, et on ne lui imposera aucune autre charge. Il en sera libéré pendant un an, pour pouvoir se consacrer à sa maison et rendre heureuse la femme qu'il a épousée. » Les mots hébreux traduits par « rendre heureuse » se rapportent au plaisir sexuel. Dieu a donc décrété : « Ni guerre ni labeur ; prends un an pour apprendre à procurer du plaisir à ta femme. »

Le Cantique des cantiques de Salomon, dans l'Ancien Testament, décrit le plaisir sexuel. Le texte est à ce point passionné que certains se sont demandé pourquoi ce livre se trouvait dans la Bible. La conclusion qui s'impose est que Dieu nous transmet ainsi un message clair sur le plaisir qu'il veut nous voir trouver dans l'expérience de l'union sexuelle. Voyez les paroles du roi Salomon :

> Que tes pieds sont jolis dans leurs sandales, princesse !
> La courbe de tes hanches fait penser à un collier sorti des mains d'un artiste.
> Le bas de ton ventre est une coupe ronde, où le vin parfumé ne devrait pas manquer.
> Ton ventre est un tas de blé entouré d'anémones.
> Tes deux seins sont comme deux cabris, comme les jumeaux d'une gazelle.
> Ton cou ressemble à la Tour-d'ivoire.

Tes yeux me rappellent les étangs de Hèchebon, à la sortie de cette grande cité.

Ton nez est aussi gracieux que la Tour-du-Liban, qui monte la garde en face de Damas.

Ta tête se dresse fièrement comme le mont Carmel.

Les mèches de tes cheveux ont des reflets de pourpre ; un roi est pris à leurs boucles.

Que tu es belle et gracieuse, mon amour, toi qui fais mes délices !

Et quelle ligne élancée ! On dirait un palmier-dattier ; tes seins en sont les régimes.

Ce qui me fait dire : « Il faut que je monte au palmier pour mettre la main sur ses régimes ! »

Que tes seins soient aussi pour moi comme des grappes de raisin, et le parfum de ton haleine comme l'odeur des pommes !

Que ta bouche m'enivre comme le bon vin… !

(Elle)

… oui, un bon vin réservé à mon bien-aimé et glissant sur nos lèvres endormies.

Je suis à mon bien-aimé et c'est moi qu'il désire.

~ Cantique des cantiques 7.2-11

Son plaisir n'était pas unilatéral. Voyez la réponse de l'épouse :

Mon bien-aimé est reconnaissable entre dix mille à son teint resplendissant et cuivré.

Sa tête est dorée.

Il a les cheveux bouclés comme les fleurs de dattier, et d'un noir de corbeau.

Ses yeux ont le charme des colombes penchées sur un ruisseau ; leur iris semble baigner dans du lait, comme logé dans un écrin.

Ses joues sont une plate-bande odorante, semée d'herbes parfumées.

Ses lèvres ont l'éclat de l'anémone où perle une huile de myrrhe.

Ses bras sont comme un anneau d'or chargé de pierreries.

Son corps est une plaque d'ivoire couverte de saphirs.

Ses jambes font penser à des colonnes de marbre blanc, solidement plantées sur des socles d'or fin.

Il a fière allure, comme les monts du Liban ; il a la distinction des cèdres.

Sa bouche est douce à mon baiser, tout en lui appelle mon désir.
Voilà mon bien-aimé, filles de la capitale, voilà mon ami !

~ Cantique des cantiques 5.10-16

Nous ne pouvons pas nier que la relation sexuelle sans engagement procure aussi du plaisir physique, mais elle ne peut être comparée à l'expérience conjugale. Remarquez la dimension émotionnelle, intellectuelle et sociale de la réponse de la femme : « Je suis à mon bien-aimé et c'est moi qu'il désire. » (7.11) Un profond sentiment de complicité et d'appartenance réciproque se dégage de ces déclarations. Les dimensions émotionnelles, intellectuelles et sociales embellissent la relation sexuelle. En leur absence, nous violons son but et nous la réduisons à un acte purement physique.

Les différences sexuelles dans le mariage

Vous vous dites peut-être : « Assez de cette image idéalisée et romantique du plaisir et de la complicité dans la relation sexuelle. Revenons dans le monde réel. Ma propre expérience ne m'a pas permis de vérifier toute cette théorie. » Assurément, la satisfaction sexuelle n'est pas automatique. Elle n'est pas garantie sur facture parce que nous passons devant Monsieur le maire. Je pense qu'il s'agit de l'une des raisons pour lesquelles Dieu a commandé aux jeunes mariés de consacrer un an à leur lune de miel. Nous devons grandir ensemble dans l'intimité intellectuelle et émotionnelle au fil des années, et il en va de même sur le plan sexuel. Si nous nous comportons uniquement en vertu de nos pulsions, nous pourrions bien ne jamais connaître la satisfaction réciproque dans ce domaine, car nos différences sexuelles font souvent obstacle à notre unité. Attardons-nous sur certaines d'entre elles.

Besoin sexuel

Au préalable, il faut savoir qu'il existe une différence dans la nature même du besoin sexuel. Celui de l'homme est physique. Référons-nous à l'anatomie masculine. Les testicules produisent continuellement des spermatozoïdes, stockés dans les vésicules séminales avec le sperme. Quand les vésicules sont remplies, l'homme éprouve le besoin physique d'être libéré. Et le liquide sera évacué par émission nocturne, par masturbation ou par relation sexuelle. C'est ainsi que Dieu a créé l'homme. Le besoin sexuel de la femme est davantage lié à ses émotions, à son désir de se sentir aimée. Si elle se sent aimée, elle désirera se lier intimement à son mari. En l'absence d'intimité émotionnelle, elle manifestera sans doute peu d'intérêt pour l'intimité sexuelle. Etre conscients et tenir compte de cette différence nous permettra d'améliorer notre vie sexuelle.

Nous oublions parfois que le sexe opposé nous est... eh bien, oui, opposé. Et il arrive assez souvent que des maris finissent par en vouloir à leur femme de ne pas leur ressembler, et inversement. Plus nous comprendrons et accepterons nos différences, plus nous emprunterons la voie qui mène à la plénitude sexuelle.

La physiologie masculine explique aussi pourquoi le mari peut désirer des relations sexuelles plus souvent que son épouse. Comme son besoin est généralement de nature physique, il éprouve assez régulièrement l'envie d'être soulagé sexuellement, même si la situation ne le satisfait pas pleinement sur le plan émotionnel. Si le désir sexuel de la femme est influencé par son cycle hormonal, il dépend bien davantage encore de sa relation émotionnelle et intellectuelle avec son mari. Il en résulte pour le mari la nécessité d'accorder une importance beaucoup plus grande à l'amour non sexuel. Autrement dit, il doit communiquer son amour et sa sollicitude envers sa femme de façons auxquelles elle se montre sensible. Il doit apprendre à parler régulièrement son langage d'amour privilégié et à distiller les quatre autres. En l'absence de cette intimité émotionnelle, il ne peut pas s'attendre à la trouver aussi réceptive que lui sur le plan sexuel.

Michel se dispute avec Cécile et perd son sang-froid. Il tient des propos blessants à son encontre. Après trente minutes de silence, au cours desquelles il regarde la télévision et elle pleure, ils montent se coucher. Lui, s'efforçant d'être gentil et tentant d'effacer sa réaction fâcheuse, tend la main vers elle pour la caresser. Elle s'écarte immédiatement, ce qui le rend furieux. Il se dit : « J'essaie de réparer mon erreur », alors qu'elle pense : « Tout ce que tu veux, c'est du sexe. Tu ne m'aimes pas. Comment peux-tu être aussi cruel ? » Si Michel comprenait la différence entre les pulsions sexuelles féminines et masculines, il s'excuserait verbalement et assurerait Cécile de tout son amour. Il ne s'attendrait pas à pouvoir faire l'amour avant qu'elle ait eu le temps de se remettre émotionnellement.

Modes d'excitation

Nous nous distinguons aussi à l'égard de ce qui nous excite. En dépit des efforts de la société moderne pour nous rendre unisexes, nous restons des hommes et des femmes. L'homme est généralement stimulé par la vue bien plus que la femme. Cette différence explique pourquoi le simple fait de regarder sa femme se déshabiller dispose d'emblée un homme à avoir un rapport sexuel. Par contre, l'épouse peut très bien regarder son mari se dévêtir sans que la pensée de faire l'amour lui traverse l'esprit. Si elle ne désire pas avoir de rapport sexuel, je suggère à la femme de se déshabiller dans la salle de bains. Par contre, si elle veut exciter son mari, se dévêtir en sa présence est une méthode très efficace.

L'épouse est bien plus stimulée par les caresses, les mots d'amour, les services rendus ou le temps de qualité, en fonction de son langage d'amour. Le mari doit donc prendre le temps et utiliser tous ces moyens pour l'aider à se sentir aimée et l'amener au même degré de désir que lui atteint simplement en la regardant.

Un mot d'avertissement est nécessaire. Puisque ce qui stimule l'homme est davantage lié à ce qu'il voit, il peut très bien être excité à la vue d'un corps féminin à la télévision ou d'une inconnue dans la rue. Cette stimulation n'est pas un péché, mais elle peut rapidement se transformer en convoitise. Dans le monde moderne, où la pornographie est très répandue et très accessible, le mari doit veiller à garder son cœur et son esprit concentrés sur sa femme. La convoitise consiste à désirer ce qui est interdit. Le dicton suivant est attribué à Martin Luther : « Nous ne pouvons pas empêcher les oiseaux de voler au-dessus de notre tête, mais nous pouvons les empêcher d'y faire leur nid. » De même, le mari ne peut empêcher toute pensée sexuelle de traverser son esprit, mais il ne doit absolument pas l'alimenter. Le défi biblique consiste à soumettre la moindre pensée à l'obéissance du Christ (2 Corinthiens 10.5). Le mari est tenu de garder les yeux fixés sur sa femme uniquement, tandis que l'épouse, qui connaît la nature de l'excitation masculine, comprendra l'intérêt de rester attirante physiquement. Le mari, conscient du fonctionnement féminin, exprimera à sa femme toute l'assurance de son amour et de son engagement afin que son besoin émotionnel de sécurité soit satisfait et qu'elle n'ait aucune raison de craindre ses écarts du regard.

Réaction sexuelle

Une autre de nos différences se manifeste dans le contexte du rapport proprement dit. La réaction physique et émotionnelle de l'homme est généralement rapide et explosive, alors que celle de la femme est plus lente et plus longue. Un problème courant qui en résulte est l'éjaculation précoce, quand le mari, très rapidement, atteint l'apogée de son plaisir sexuel et se retrouve ensuite dans un état émotionnel normal. La femme, qui en est peut-être seulement au stade initial de son excitation, se demande : « Suis-je vraiment supposée trouver ça si formidable ? » Si nous comprenons ce qui distingue nos réactions sexuelles, nous pourrons mieux nous ajuster à la façon dont Dieu nous a créés et chercher le moyen de répondre à nos besoins respectifs.

En se mariant, beaucoup de couples croient qu'il est normal de connaître des orgasmes simultanés lors de chaque rapport sexuel. Or, la plupart n'expérimentent pas cette simultanéité, qui n'est d'ailleurs pas essentielle à la satisfaction sexuelle. L'important est que chacun atteigne l'orgasme s'il le désire. Le fait que l'un ou l'autre jouisse le premier ou le temps écoulé entre les deux orgasmes n'est pas crucial. Notre but est de répondre aux besoins sexuels de l'autre. Beaucoup d'épouses ne cherchent pas à jouir lors de chaque rapport sexuel. A cause de la fatigue ou pour d'autres raisons, elles ne souhaitent tout simplement pas dépenser l'énergie et les efforts nécessaires pour atteindre l'orgasme. Elles sont heureuses d'aimer et d'être aimées, de donner du plaisir à leur mari et d'avoir profondément conscience de son amour pour elles.

Nous avons tous besoin de savoir que notre conjoint cherche notre bien-être et désire notre bonheur. Si ce plaisir est unilatéral ou s'il est exigé, nous ne trouverons jamais la plénitude sexuelle. Cette disposition de cœur et d'esprit doit être commune aux deux partenaires. Nous pouvons demander du plaisir, mais jamais l'exiger.

Les gens s'interrogent souvent : « Pourquoi Dieu nous a-t-il créés si différents ? » Pourquoi est-il si difficile pour nous de trouver la satisfaction dans le domaine sexuel ? Certains ont souligné que les animaux ne paraissaient pas connaître les mêmes difficultés à cet égard. Ils se contentent de faire ce que leur dicte la nature. Je crois que Dieu nous a différenciés de la sorte parce qu'il voulait que la relation sexuelle dépasse le simple cadre de la reproduction. Elle devait devenir l'expression profonde de notre amour réciproque. Si nous n'en faisons pas une expérience d'amour, à travers laquelle chacun cherche le bonheur de l'autre, nous ne trouverons peut-être jamais la satisfaction. Mais si nous la transformons en acte d'amour bâti sur l'intimité émotionnelle, intellectuelle et spirituelle, alors la relation sexuelle devient une fête et vient sceller davantage encore notre vie commune.

Nous avons toujours utilisé les bons mots. N'avons-nous pas toujours dit : « Faire l'amour » ? En réalité, pourtant, nous ne faisons pas toujours l'amour ; parfois, nous « faisons du sexe ». Mais si chacun des deux conjoints cherche à satisfaire l'autre, ils trouveront la facette sexuelle du mariage mutuellement satisfaisante.

Créer l'unité sexuelle

L'unité sexuelle signifie que les deux conjoints trouvent leur sexualité réciproquement satisfaisante. Comment atteindre cet objectif ?

Engagement

Le fondement de l'unité sexuelle est l'engagement. Le conjoint qui recourt à la menace de la séparation pour amener l'autre à se plier à ses désirs détruit son mariage. Des propos tels que : « Dans ce cas, je préfère te quitter » ou « Pourquoi ne demandes-tu pas le divorce ? » peuvent être lancés sous le coup de la frustration, mais ils empoisonnent l'intimité sexuelle. Le mariage repose sur une alliance et non une contrainte. Comme nous l'avons vu précédemment, l'alliance est un engagement volontaire. Pendant la cérémonie du mariage, nous prononçons réciproquement : « Pour le meilleur et pour le pire, jusqu'à ce que la mort nous sépare. » Cette promesse doit être régulièrement réaffirmée, de manière à la fois subtile et explicite, tout au long du mariage. Si chacun des conjoints a le sentiment que son époux s'est engagé envers lui pour la vie, qu'il n'a pas à craindre son départ, tous deux jouissent d'un climat propice au développement de leur intimité sexuelle. L'engagement alimente la sécurité.

Cet engagement ne se limite pas au fait de demeurer marié. Il implique de se donner à l'autre sexuellement. L'idéal biblique n'est nulle part exprimé plus clairement que dans 1 Corinthiens 7.3-5 :

> Le mari doit remplir son devoir d'époux envers sa femme et la femme, de même, doit remplir son devoir d'épouse envers son mari. La femme ne peut pas faire ce qu'elle veut de son propre corps : son corps est à son mari ; de même, le mari ne peut pas faire ce qu'il veut de son propre corps : son corps est à sa femme. Ne vous refusez pas l'un à l'autre, à moins que, d'un commun accord, vous n'agissiez ainsi momentanément pour vous appliquer à la prière ; mais ensuite, reprenez une vie conjugale normale, sinon vous risqueriez de ne plus pouvoir vous maîtriser et de céder aux tentations de Satan.

Nos désirs sexuels naturels, créés par Dieu, doivent être satisfaits dans le cadre de la relation conjugale. Ainsi, nous éviterons les éventuelles tentations extérieures. Après le mariage, nous devons rester déterminés à répondre aux besoins sexuels de notre conjoint. Si nous rencontrons des problèmes dans ce processus, engageons-nous à trouver des solutions. Si notre comportement émotionnel à l'égard de la sexualité a été troublé ou déformé par des expériences passées, soyons résolus à trouver la guérison pour pouvoir apprécier les joies de l'intimité sexuelle.

Notre promesse signifie : « Nous continuerons à grandir ensemble jusqu'à ce que nous trouvions tous deux la plénitude sexuelle. » Cette résolution apporte un espoir considérable et crée un climat propice à la croissance. Par contre, si l'un des conjoints ou les deux manifestent peu d'intérêt pour les besoins sexuels de l'autre et fournissent peu d'efforts pour apprendre ou progresser dans ce domaine, une atmosphère de peine, de déception et, finalement, d'hostilité en résultera. Dans un mariage chrétien, cette attitude doit être rapportée à une nature pécheresse et égoïste. Nous devons donc chercher le pardon de Dieu et de notre conjoint, et renouveler notre engagement.

Communication

Un second principe pour approfondir la satisfaction sexuelle porte sur la communication qui précède l'acte. On parle beaucoup aujourd'hui des techniques et des performances, comme si elles détenaient la clé de l'intimité sexuelle. C'est une erreur. Les Écritures ne condamnent assurément pas toutes sortes de positions et de techniques, mais la Bible met avant tout l'accent sur l'intimité. L'intimité sexuelle résulte d'une relation, elle-même alimentée par la communication. Le rapport sexuel n'établit pas d'intimité profonde, il la présuppose. Les problèmes sexuels ne seront pas résolus par des techniques. Les préliminaires ne commencent pas au lit, mais bien douze à seize heures avant le coucher.

Si nous ne nous ajustons pas pendant la journée — partager nos vies intellectuellement, émotionnellement et socialement, écouter et être écoutés, comprendre et être compris —, nous ne pouvons pas raisonnablement nous attendre à connaître l'intimité sexuelle. Le temps de partage quotidien proposé précédemment (« Raconte-moi trois choses qui te sont arrivées aujourd'hui et ton sentiment à leur propos ») est aussi important pour la satisfaction sexuelle que la nourriture pour le corps. Tous les principes de communication exposés dans ce livre sont directement liés à l'unité sexuelle.

Nous devons manifester de l'empathie et de la compréhension. Si la journée a été caractérisée par des conflits irrésolus, l'irrespect et l'insensibilité au sein du couple, il sera difficile, voire impossible, de trouver la satisfaction sexuelle. De temps en temps, quelqu'un me confie : « Nous ne parvenons pas à trouver le temps de nous parler chaque jour. » Je réponds que s'ils n'ont pas le temps de se parler, ils n'auront pas non plus le temps de s'aimer. Bref, ils n'auront pas le temps d'être mariés. Les couples avisés se ménagent donc des moments de conversation et recherchent la plénitude sexuelle.

Nous trouverons également très profitable de communiquer à propos de notre expérience sexuelle. Parce que nous sommes différents et parce que nous éprouvons des désirs et des besoins distincts, nous ne pouvons pas nous attendre à trouver la satisfaction si nous ne discutons pas ouvertement de nos attentes. Ainsi, nous devons prendre le temps de décrire ce qui nous procure du plaisir, ce qui nous irrite ou refroidit notre excitation. Il convient d'en parler, non pas dans un esprit de condamnation, mais dans le but de partager des informations qui nous seront utiles dans nos efforts pour donner du plaisir à l'autre. « Qu'aimerais-tu que je fasse — ou que préférerais-tu que je ne fasse pas — pour améliorer nos relations sexuelles ? » C'est là une bonne question que les époux devraient se poser régulièrement pendant plusieurs années. En répondant à la demande de votre conjoint, vous augmentez aussi sa satisfaction sexuelle.

En suggérant que la communication précède la performance, je ne minimise pas la valeur des ouvrages chrétiens disponibles sur les questions ordinaires liées à l'acte sexuel. La plupart des couples pourraient tirer bénéfice de la lecture de ces livres. Je veux surtout dire que la satisfaction sexuelle ne résulte pas de trucs ou d'astuces, mais découle naturellement de l'édification d'une relation aimante.

Amour

Le troisième principe de l'unité sexuelle est... l'amour, « ce jardin où s'épanouit l'intimité sexuelle ». L'amour et l'intimité sexuelle sont indissociables. Le rapport physique implique non seulement les organes sexuels féminins et masculins, mais aussi notre esprit, nos émotions et notre âme. L'expérience physique est magnifiée par l'amour sentimental, intellectuel et spirituel. Par amour, j'entends l'effort conscient de rechercher l'intérêt de l'autre.

L'amour est à la fois une attitude et un sentiment. Nous choisissons notre attitude et elle détermine nos émotions. Si nous choisissons de penser le meilleur de son conjoint et de rechercher son bien-être, nous chercherons le moyen d'exprimer cette attitude. Si nous exprimons notre amour sous la forme du langage privilégié de notre conjoint, il est très probable qu'il se sentira aimé. Nous aurons aussi une meilleure opinion de nous-mêmes parce que nous saurons que nous avons fait le bon choix. Inversement, en choisissant l'attitude de l'apathie ou de la haine (autrement dit : laisser le conjoint seul dans son coin ou lui rendre la pareille), nous y conformons notre comportement et notre conjoint se sentira probablement rejeté, mal aimé ou détesté. L'individu qui adopte cette attitude aura une mauvaise opinion, non seulement de son mariage, mais aussi de lui-même.

Le défi que les conjoints chrétiens doivent relever est d'exprimer leur amour de manière inconditionnelle. Dieu est notre exemple : « Mais Dieu nous a montré à quel point il nous aime : le Christ est mort pour nous alors que nous étions encore pécheurs. » (Romains 5.8) Nous lisons aussi que « Dieu a versé son amour dans nos cœurs par le Saint-Esprit qu'il nous a donné » (Romains 5.5). En tant que chrétiens, nous devons exprimer l'amour de Dieu envers notre conjoint dans le train-train quotidien, même lorsque nous n'éprouvons pas de sentiment particulier à son égard. Si nous choisissons d'aimer et d'exprimer notre amour concrètement, nous créons un climat propice au développement de l'intimité sexuelle.

Pudeur

L'intimité engendre la détente : ainsi pourrait se résumer le quatrième principe essentiel à l'unité sexuelle. Le rapport sexuel est un acte privé. Comme nous l'avons lu dans les Écritures, il s'agit de l'expression d'amour et d'engagement unique qu'un mari et une femme se témoignent mutuellement. A travers ce geste, ils fêtent et consolident leurs liens. Le partager avec le monde revient à le perdre. Le fait de confier nos joies ou nos difficultés sexuelles à des amis ne fera probablement que réduire les unes et aggraver les autres. Le meilleur endroit pour confier nos problèmes sexuels est le bureau d'un conseiller conjugal. Dans le cadre d'une conférence, nous pouvons parler de sexualité. Nous pouvons aussi décrire l'anatomie masculine et féminine et le rôle joué par les divers organes dans le rapport sexuel. Nous pouvons parler ouvertement de ces questions et nous le devrions, mais il en va tout autrement des détails spécifiques de nos propres relations sexuelles. Il est néfaste de décrire tous les détails de notre expérience privée auprès de parents, d'amis ou d'étrangers. Le partage de ces informations intimes a souvent amorcé de la convoitise et parfois débouché sur des liaisons extraconjugales.

En supposant que les conjoints conviennent que leur expérience sexuelle doit rester du domaine absolu de leur intimité, ils peuvent néanmoins être confrontés à des problèmes pratiques. Avec des logements exigus et des enfants curieux, certains couples ont du mal à préserver leur intimité. Ils sont parfois même amenés à réduire considérablement la fréquence de leurs rapports sexuels. Si les enfants sont à l'origine de la froideur du lit conjugal, il est du ressort des conjoints de retrouver leur intimité pour pouvoir s'épanouir sexuellement.

ご

En résumé, la satisfaction sexuelle réciproque du mari et de la femme résulte de leur quête mutuelle du plaisir de l'autre. Quand des conjoints se font don de leur corps, comme l'apôtre

Paul le conseille dans 1 Corinthiens 7.4, ils trouvent tous deux la plénitude sexuelle. Quand des époux veillent au plaisir de leur partenaire, ils vérifient la véracité des paroles de Jésus : « Donnez aux autres et Dieu vous donnera : on versera dans la grande poche de votre vêtement une bonne mesure, bien serrée et secouée, débordante. Dieu mesurera ses dons envers vous avec la mesure que vous employez pour les autres. » (Luc 6.38)

Il arrive que nous éprouvions des difficultés à vouloir satisfaire notre conjoint parce qu'il nous a blessés, lésés ou trahis. Si c'est le cas, nous devons assurément suivre le conseil biblique consistant à lui faire face dans l'amour et dans un esprit de réconciliation. Puis, après lui avoir pardonné sincèrement, nous faisons un pas vers lui pour lui exprimer notre amour en cherchant à nouveau à lui procurer du plaisir. Si deux personnes s'engagent à se satisfaire mutuellement, l'intimité sexuelle deviendra une réalité dans leur vie.

Passons maintenant au chapitre 22 et voyons le quatrième domaine essentiel de l'intimité pour les couples chrétiens : l'intimité spirituelle.

Chapitre 22

L'intimité spirituelle

Les chapitres précédents étaient consacrés à l'intimité intellectuelle, émotionnelle et sexuelle. Nous en arrivons maintenant à l'intimité spirituelle, la quatrième dimension de l'intimité conjugale, cette complicité qui se développe entre le mari et la femme au fil de leur vie commune. Pour certains couples, ce domaine est peut-être le moins développé de leur vie conjugale. Pour d'autres, il en est le ciment. Dans ce chapitre, nous viserons à le stimuler davantage.

Permettez-moi de commencer par distinguer la croissance spirituelle de l'intimité spirituelle. La première est personnelle. Elle se joue entre Dieu et vous. La seconde, par contre, correspond à cette complicité née du partage de nos progrès spirituels respectifs. La majeure partie de ce chapitre sera consacrée au développement de l'intimité spirituelle, mais commençons par nous attarder sur deux questions importantes : en quoi consiste la croissance spirituelle et pourquoi faut-il avoir une vie spirituelle avant de la connaître ?

La croissance spirituelle

Qu'est-ce que la croissance spirituelle ? La définition chrétienne est simple : la croissance spirituelle consiste à ressembler de plus en plus à Jésus-Christ. Il ne faut pas la confondre avec la participation aux activités religieuses. Elle est bien plutôt le changement de l'être intérieur, qui se traduit dans le comportement, les valeurs et le mode de vie.

La définition de la croissance spirituelle est exprimée dans l'ensemble du Nouveau Testament. Par exemple, Paul a dit :

> Ayez entre vous les sentiments qui viennent de Jésus-Christ : il possédait depuis toujours la condition divine, mais il n'a pas estimé qu'il devait chercher à se faire de force l'égal de Dieu. Au contraire, il a de lui-même renoncé à tout ce qu'il avait et il a pris la condition de serviteur. Il est devenu semblable aux hommes, il a paru dans une situation d'homme ; il a accepté de vivre dans l'humilité et s'est montré obéissant jusqu'à la mort, la mort sur la croix.
>
> ~ *Philippiens 2.5-8*

L'enseignement est clair. Nous devons penser comme Jésus-Christ a pensé et vivre comme il a vécu.

Paul souligne encore ce principe dans 1 Corinthiens 11.1 : « Imitez-moi, comme j'imite le Christ. » Plus haut dans la même lettre, il écrit : « Je vous le demande donc, suivez mon exemple. A cet effet, je vous envoie Timothée, qui est mon fils aimé et fidèle dans le Seigneur. Il vous rappellera les principes qui me dirigent dans la vie avec Jésus-Christ, tels que je les enseigne partout, dans toutes les églises. » (4.16-17)

Paul illustre la croissance spirituelle. Il dit : « Je suis moi-même l'exemple de Jésus-Christ. Vous pouvez donc suivre mon exemple. J'enseigne ce que Jésus-Christ a enseigné. Vous pouvez donc accepter mon enseignement comme étant digne de confiance. » On pourrait juger cette affirmation particulièrement prétentieuse. Pourtant, chaque chrétien devrait pouvoir affirmer la même chose ou, du moins, ce devrait être son objectif. Si nous continuons à grandir spirituellement, en nous inspirant du comportement et de l'attitude de Jésus-Christ, nous devrions pouvoir inviter les autres à suivre notre exemple puisque nous suivons le sien. C'est un but ambitieux et noble, et c'est manifestement celui que Dieu veut nous voir poursuivre.

L'une des erreurs les plus courantes consiste à confondre les activités religieuses (fréquenter l'église, lire la Bible, prier, etc.) et la croissance spirituelle. Nous supposons qu'en nous impliquant dans les « bonnes » activités, nous serons forcément de bons chrétiens. Nous confondons les moyens avec la fin. Si ces activités nous aident à ressembler davantage à Jésus-Christ, elles deviennent le moyen de notre croissance spirituelle. Elles contribuent à paver la voie de la croissance spirituelle. En assistant à des réunions de prière et à des études bibliques, nous entendons la vérité sur Jésus-Christ, nous recevons l'encouragement d'autres croyants et nous avons la possibilité de servir les autres. A travers la lecture personnelle des Écritures, nous découvrons la vérité sur Dieu, nous apprenons les enseignements de Jésus-Christ et nous étudions attentivement sa vie dans les Évangiles. C'est dans la prière que nous exprimons nos manquements et reconnaissons combien nous dépendons de Dieu pour trouver la force de mener une vie semblable à celle de son Fils.

En examinant attentivement la vie de Jésus, nous découvrons les qualités et les caractéristiques que Dieu désire développer dans notre vie. Jésus a clairement enseigné à ses disciples qu'ils devaient suivre son exemple, comme il le dit en Matthieu 20.27-28 : « Si l'un de vous veut être le premier, il doit être votre esclave ; c'est ainsi que le Fils de l'homme n'est pas venu pour se faire servir, mais il est venu pour servir. » Jésus souligne encore davantage les qualités du serviteur quand, après avoir lavé les pieds de ses disciples, il leur dit : « Je vous ai donné un exemple pour que vous agissiez comme j'ai agi envers vous. » (Jean 13.15) Après avoir donné cette profonde leçon par son propre comportement, Jésus a ajouté : « Maintenant vous savez cela ; vous serez heureux si vous le mettez en pratique. » (Jean 13.17) Il apparaît clairement que la croissance spirituelle ne consiste pas simplement à développer ses connaissances bibliques. Elle implique de les appliquer au quotidien. Notre plus grand bonheur réside dans notre progression spirituelle : croître à la ressemblance de Jésus-Christ.

Voilà qui nous amène à la seconde question : la croissance spirituelle présuppose l'existence d'une vie spirituelle. En effet, nous ne pouvons croître à la ressemblance du Christ si son Esprit ne vit pas en nous, car ce dernier nous donne la vie spirituelle et donc le potentiel d'évoluer à cet égard. Il arrive que nous mettions la charrue avant les bœufs. Je pense que de nombreuses personnes s'efforcent durement de mener une bonne vie chrétienne, sans avoir au préalable reconnu Jésus comme Seigneur, puis invité son Esprit à prendre le contrôle de leur vie. Leurs efforts pour lui ressembler en l'absence de son Esprit sont totalement vains et la frustration les mènera bientôt à capituler dans leur foi.

J'ai souvent entendu dire : « J'ai essayé d'être chrétien, mais cela n'a pas marché pour moi. » La remarque est judicieuse, car il est impossible de mener une vie chrétienne sans l'Esprit. La naissance doit forcément précéder la vie et la croissance.

Je me trouvais récemment dans un taxi entre l'aéroport et l'hôtel. J'engageai la conversation avec le chauffeur et bientôt, il me dit : « J'ai fréquenté une église pendant des années. J'ai appris mon catéchisme. Je pensais être chrétien, mais ce n'est que tout récemment que j'ai pris conscience de n'avoir jamais vraiment laissé Jésus-Christ prendre les rênes de ma vie. Aujourd'hui, tout est différent. » Cet homme illustre une vérité essentielle : la croissance spirituelle présuppose un vécu spirituel. Jésus a clairement affirmé être le Fils de Dieu, le Sauveur de l'humanité, la source de la vie.

Comprendre et connaître Dieu commence au moment du salut, mais se poursuit tout au long de la vie. Paul en témoignait en disant : « Je ne prétends pas que j'aie déjà atteint le but ou que je sois déjà devenu parfait. Mais je continue à avancer pour m'efforcer de saisir le prix de la course, car Jésus-Christ m'a déjà saisi. » (Philippiens 3.12) Pierre nous encourage à « progresser dans la grâce et la connaissance de notre Seigneur et Sauveur Jésus-Christ » (2 Pierre 3.18).

La croissance spirituelle ressemble beaucoup à la croissance conjugale. Elle exige du temps, de la communication et de l'engagement. Elle résulte de notre collaboration à l'œuvre du Saint-Esprit en nous. Par nos propres efforts, nous ne parviendrons pas à ressembler à Jésus. C'est seulement en laissant à l'Esprit de Dieu la liberté de travailler dans notre vie qu'il pourra produire en nous les qualités du Christ. Paul évoque ce processus quand il dit :

> Frères, puisque Dieu a ainsi manifesté sa bonté pour nous, je vous demande de vous offrir vous-mêmes comme un sacrifice vivant, réservé à Dieu et qui lui est agréable. C'est là le véritable culte que vous lui devez. Ne vous conformez pas aux habitudes de ce monde, mais laissez Dieu vous transformer par un changement complet de votre intelligence. Vous pourrez alors comprendre ce que Dieu veut : ce qui est bien, ce qui lui est agréable et ce qui est parfait.
>
> ~ *Romains 12.1-2*

La croissance spirituelle est un processus à travers lequel notre ancienne façon de penser est entièrement transformée, ce qui n'intervient pas du jour au lendemain. Notre responsabilité consiste à offrir notre vie à Jésus-Christ, lui permettant ainsi de parfaire ses plans en nous.

Voilà pourquoi Paul encourage les croyants d'Éphèse à être « remplis de l'Esprit Saint » (Éphésiens 5.18). En grec, la structure de cette phrase indique que nous devons « être *continuellement* remplis du Saint-Esprit ». Il s'agit d'une action continue. Pour une croissance spirituelle optimale, notre prière quotidienne devrait être : « Père, j'abandonne ma vie à ton Esprit aujourd'hui, afin qu'il travaille en moi pour m'amener à ressembler davantage au Christ. Permets-moi de mieux comprendre tes voies à travers tes Écritures et ton écoute et donne-moi la force de suivre les enseignements de Jésus. »

La lecture, l'étude, la mémorisation et la méditation de la Bible vous permettront de mieux comprendre Dieu et ce qu'il désire accomplir dans votre vie. La même dépendance envers la puissance du Saint-Esprit vous permettra de transformer vos pensées et vos attitudes négatives, et ainsi de ressembler davantage à Jésus. Il ne s'agit pas d'un processus mécanique. C'est une relation sincère et progressive avec Dieu qui répond aux aspirations les plus profondes du cœur humain. Le philosophe Blaise Pascal avait raison. Il y a un vide dans le cœur de l'homme qui a la forme de Dieu et que lui seul peut combler.

En cherchant personnellement à croître spirituellement, vous alimentez un climat propice à l'intimité spirituelle dans votre mariage.

Intimité spirituelle

L'intimité spirituelle n'exige pas que le mari et la femme soient tous deux au même stade de croissance spirituelle. Elle nécessite toutefois le désir de parler de son cheminement personnel. Certains éprouvent des difficultés à le faire. Un mari m'a confié récemment : « Je sais que je devrais aborder des sujets spirituels avec ma femme, mais quand notre relation se porte mal à d'autres égards, j'ai l'impression d'être hypocrite en parlant de Dieu et de choses spirituelles. » Son sentiment démontre l'impossibilité de dissocier la dimension spirituelle du reste de l'existence. Si nous n'avons pas développé un certain degré d'intimité émotionnelle, intellectuelle et sexuelle, il peut s'avérer extrêmement difficile pour nous d'évoquer des questions spirituelles. Nous pouvons cependant commencer par confesser nos échecs dans ces domaines et demander à Dieu de nous aider à développer, non seulement notre intimité spirituelle, mais aussi l'ensemble de notre relation. L'intimité spirituelle véritable permet toujours de regarder les problèmes avec réalisme et franchise. Si les deux conjoints connaissent un renouveau spirituel personnel, alors ensemble et avec l'aide de Dieu, ils peuvent commencer à expérimenter l'intimité spirituelle, ce qui affectera radicalement tous les autres domaines de leur vie conjugale.

Il arrive que l'un des conjoints se sente spirituellement inférieur et évite donc d'évoquer ces sujets avec son partenaire. Par exemple, il connaît moins bien les Écritures, il est croyant depuis moins longtemps, il n'a pas grandi dans un foyer chrétien ou il est tout simplement embarrassé quand on lui pose une question en groupe. Son mécanisme de résistance émotionnelle consiste simplement à éviter tout ce qui entre dans la dimension spirituelle. D'un point de vue psychologique, sa réaction est facile à comprendre, mais d'un point de vue spirituel, elle peut entraver sa croissance.

Nous devons nous rappeler que la terre au pied de la croix du Christ est partout au même niveau. Nous devons tous venir à Jésus agenouillés. Nous ne devenons pas chrétiens en vertu de nos mérites, mais parce que nous sommes dans le besoin, à la recherche d'un Sauveur. Notre passé ne nous rend pas plus ou moins acceptables à ses yeux. C'est un cœur brisé et humble qu'il désire voir en nous (cf. Psaumes 51.19). Tous les chrétiens sont nés comme des bébés spirituels et reçoivent ensuite la possibilité de grandir. Souvenez-vous que la croissance spirituelle ne consiste pas à accumuler des connaissances bibliques, mais bien à ressembler davantage à Jésus-Christ. Nous ne devons pas avoir honte du stade actuel de notre croissance, mais veiller à poursuivre notre progression.

Une autre raison pour laquelle certains couples éprouvent des difficultés à développer leur intimité spirituelle est que leurs efforts passés se sont avérés douloureux. Une épouse explique : « Nous avons essayé, à une époque, de parler de sujets spirituels, mais nous finissions toujours par nous disputer. » Généralement, ces éclats sont suivis par un retrait et le refus d'aborder le sujet. Comme nous sommes dotés de personnalités différentes, nous sommes parfois en désaccord dans notre interprétation et notre application des Écritures. C'est inévitable parce que nous sommes des êtres humains.

L'intimité spirituelle n'exige pas l'accord parfait sur toutes les questions de cet ordre, mais bien le désir de partager son avis et de recevoir celui de l'autre dans une attitude d'acceptation. Celui qui a une telle attitude est conscient que tous, lui-même compris, nous progressons et que la croissance implique le changement. Mon interprétation actuelle d'un passage biblique particulier peut changer dans six mois, quand j'en saurai davantage sur la vérité biblique. L'acceptation de mon conjoint signifie qu'il (elle) m'accorde la liberté d'être là où j'en suis aujourd'hui, même s'il (elle) n'adhère pas à mon interprétation. Le but que nous poursuivons n'est pas de tomber d'accord, mais de grandir spirituellement, pour ressembler tous deux davantage à Jésus-Christ. En nous rapprochant du Christ, nous nous rapprocherons l'un de l'autre et nous atteindrons notre objectif d'intimité spirituelle.

Toutes ces entraves à l'intimité spirituelle trahissent l'existence d'un ennemi : Satan s'oppose à la fois à la croissance et à l'intimité dans ce domaine. S'il peut nous empêcher de nous épanouir à cet égard, il nuira à notre efficacité pour Dieu dans le monde. Peu importe la méthode la plus efficace dans notre cas, Satan l'utilisera tant qu'elle lui permettra de casser notre intimité spirituelle. Après avoir découvert sa tactique et y avoir résisté avec la force du Saint-Esprit, nous rendrons ses efforts vains.

La bonne nouvelle est que le Saint-Esprit qui habite en nous est plus puissant que l'esprit de Satan (cf. 1 Jean 4.4). Nous ne résistons pas au diable par nos propres forces ; nous ne sommes pas de taille. Certains chrétiens craignent encore Satan, mais ce n'est pas la volonté de Dieu. La Bible nous demande : « Soumettez-vous donc à Dieu ; résistez au diable et il fuira loin de vous. » (Jacques 4.7) Remarquez attentivement la chronologie. Nous devons d'abord nous soumettre à Dieu, puis résister au diable. En nous appuyant sur la présence de Dieu et sur sa puissance, nos efforts pour progresser dans l'intimité et la croissance spirituelles ne pourront pas être anéantis par Satan.

Tous les autres aspects de notre mariage se trouvent favorisés ou minés par notre relation avec Dieu. L'intimité spirituelle devrait donc être une priorité pour tous les chrétiens. Comme l'auteur des Psaumes nous le rappelle : « Si le Seigneur ne bâtit pas la maison, c'est en vain que les maçons se donnent du mal. » (Psaumes 127.1)

Méthodes
pour développer l'intimité spirituelle

Comment développer notre intimité spirituelle ? Comment améliorer notre esprit d'équipe en devenant des supporters réciproques, qui s'encouragent mutuellement à grandir ? Voici cinq méthodes pratiques qui, une fois expérimentées dans le

contexte conjugal, permettent de développer l'intimité spirituelle.

Parler ensemble
L'intimité spirituelle est renforcée quand le couple discute des
questions de cet ordre. Il s'agit bien de « parler » et non de
« prêcher ». En prêchant, vous proclamez : « Ainsi parle le
Seigneur », « Ecoute-moi et je te dirai ce que Dieu veut que tu
fasses ». La plupart d'entre nous ne réagissent pas positivement
quand leur conjoint prend des airs de prédicateur.

Les conversations devraient viser à décrire l'action de Dieu
dans notre vie, ce que nous percevons de sa volonté à travers les
Écritures et le Saint-Esprit, et nos changements d'attitude et
de comportement après avoir entendu sa Parole. Parler est le
moyen de laisser l'autre entrer dans notre cœur, dans nos
pensées personnelles sur Dieu et dans notre relation avec le
Seigneur. Pour la plupart, nous avons envie de recevoir de telles
informations pour autant qu'elles ne virent pas au sermon.

Voici quelques idées pratiques pour lancer votre conversation.

- Une fois par semaine, partagez ce que vous avez lu dans les
  Écritures, pourquoi vous avez été touché et comment vous
  vous efforcez d'appliquer tel ou tel principe biblique dans
  votre vie.
- Après avoir assisté à un culte, partagez ce que vous avez tous
  deux trouvé utile ou encourageant dans la prédication. (Ne
  perdez pas votre temps à parler de ce que vous n'avez pas
  apprécié !)
- Choisissez un livre sur la vie chrétienne. Lisez un chapitre
  par semaine et partagez ce qui vous a plu.
- Posez une question qui vous préoccupe sur un aspect de la
  vie chrétienne ou de la Bible. Ecoutez attentivement l'avis
  de votre conjoint à cet égard.

Souvenez-vous qu'écouter est tout aussi important que
parler. Si votre conjoint se confie à vous, écoutez attentivement, en veillant à maintenir le contact visuel, à hocher la tête,

à vous pencher vers lui, etc. Manifestez votre acceptation et ne le condamnez pas. Si vous interprétez différemment le passage et si vous être poussé à le lui dire, précisez qu'il s'agit de votre interprétation et non de la parole descendue du ciel ni de l'avis de tel ou tel spécialiste, car ce serait le moyen le plus sûr de mettre un terme à toute communication sur ces sujets. Quand vous partagez un avis d'ordre spirituel, décrivez comment ces idées vous aident dans votre vie et non comment vous aimeriez voir votre conjoint les appliquer. Laissez le champ libre au Saint-Esprit pour travailler dans son cœur. N'essayez pas de faire vous-même le travail de Dieu.

Une épouse raconte : « J'aborderais des questions spirituelles si je pensais que mon mari est intéressé, mais je ne fais pas le poids face à la télévision. » Son témoignage attire l'attention sur le besoin d'une convention entre mari et femme au sujet des questions spirituelles. Un couple ne peut pas bâtir son intimité spirituelle si les deux conjoints ne sont pas désireux de s'engager sur cette voie ensemble. Si je prends un tel engagement, le fait que ma femme choisisse de partager avec moi une facette de sa croissance spirituelle m'encourage à lui accorder toute mon attention. Je m'intéresse à ce qu'elle désire partager parce que je veux être plus proche d'elle. Je veux entrer dans le champ de sa croissance spirituelle. Je veux l'encourager dans ses victoires et la soutenir dans ses demandes pour obtenir de l'aide. La qualité de mon écoute renforcera ou découragera son envie de me parler.

Un mari plutôt taciturne se plaint : « Je ne vois aucun inconvénient à aborder des questions spirituelles, mais ces conversations se font généralement longues et je perds du temps pour mes autres responsabilités. » C'est là un souci sincère et légitime. La remarque est peut-être empreinte d'humour, mais le problème est bien réel. La réponse pourrait consister à se fixer des limites dans le temps. Le mari taciturne se réjouira d'accorder son entière attention si son conjoint parle pendant dix à quinze minutes et s'il sait que l'entretien ne se transformera pas en exposé de deux heures.

Ne pensez pas devoir uniquement aborder les domaines de

votre vie spirituelle où vous réussissez le plus. Parlez aussi de vos écueils et demandez à votre conjoint de prier pour vous. L'intimité spirituelle n'exige pas la perfection. Souvenez-vous que votre objectif n'est pas de résoudre des problèmes théologiques ni de vous redresser mutuellement. Il consiste à vous encourager réciproquement par rapport aux défis que Dieu place devant vous pour vous façonner à la ressemblance de Jésus.

Prier ensemble

Pendant plusieurs années, j'ai donné un cours de préparation au mariage dans notre église. Dans le cadre de cette formation, j'enseignais aux couples comment prier ensemble sur le mode de la conversation. Il s'agit d'intercéder pour un sujet à la fois, en prononçant chacun une phrase ou deux sur ce besoin précis, avant de passer au suivant. On aborde ainsi plusieurs sujets, comme dans une conversation avec un ami. Après une courte démonstration, je plaçais chaque couple dans une pièce séparée et je leur demandais de prier à voix haute pendant cinq minutes. Tous les conjoints rejoignaient ensuite l'ensemble du groupe et je demandais : « Comment vous sentiez-vous quand vous avez commencé à prier ensemble ? » Presque toujours, quelques-uns disaient : « Nerveux », « mal à l'aise » ou « effrayé ». Puis je demandais : « Comment vous sentiez-vous après avoir prié pendant cinq minutes ? » et la plupart répondaient : « proche de lui (d'elle) », « à l'aise », « désireux de continuer à prier » ou « détendu ». La prière en commun permet généralement de développer un sentiment d'intimité spirituelle. En nous présentant à Dieu ensemble, nous sommes aussi attirés davantage l'un vers l'autre.

Le formidable potentiel de la prière commune explique peut-être pourquoi elle est si difficile à pratiquer. Quand nous prions ensemble, nous venons consciemment vers Dieu et nous partageons nos pensées et nos sentiments avec lui. Nous le louons et nous le remercions, puis nous soumettons nos requêtes et nous intercédons.

Certaines personnes n'ont jamais développé l'habitude de

prier à voix haute en présence d'autrui. Dans ce cas, je vous suggère de prier silencieusement. Tenez-vous les mains, fermez les yeux et priez en silence. Et quand vous avez terminé, dites « amen », puis attendez que votre conjoint fasse de même. Dieu entend toutes les prières, silencieuses ou audibles. Lors d'une rencontre publique (culte dominical, repas en commun, etc.), vous pouvez approfondir votre intimité spirituelle en vous tenant la main. La prière commune améliore non seulement notre relation avec Dieu, mais aussi notre sentiment d'intimité spirituelle.

La méthode utilisée a peu d'importance. L'essentiel est de venir à Dieu ensemble. Peu d'exercices spirituels détiennent un potentiel aussi grand pour l'intimité que celui de la prière en commun.

Dans vos prières personnelles, vous veillerez aussi à prier l'un pour l'autre chaque jour. Soyez spécifique. Intercédez pour certains soucis que votre conjoint a partagés avec vous. Lisez quelques prières de la Bible et dites-les pour votre conjoint, en particulier celles qui demandent à Dieu de la sagesse et de la force (cf. Éphésiens 1.15-23 ; Philippiens 1.9-11). Les Psaumes peuvent aussi vous aider à prier pour votre partenaire. Lisez un verset, puis priez pour ce qu'il évoque dans votre esprit au profit de votre conjoint. Poursuivez jusqu'à la fin du Psaume.

Jésus a dit à Pierre : « Satan a demandé de pouvoir vous secouer comme on secoue le grain pour le séparer de la paille. Mais j'ai prié pour toi, afin que la foi ne vienne pas à te manquer. » (Luc 22.31-32) Samuel a dit : « Quant à moi, je me garderai bien de pécher contre le Seigneur en cessant de prier pour vous » (1 Samuel 12.23). Ces exemples bibliques et bien d'autres nous rappellent la valeur de la prière d'intercession pour d'autres chrétiens. Si la prière est le moyen de se soucier de la vie d'autrui, pourquoi négligerions-nous ce ministère envers notre conjoint ? Qu'arriverait-il à notre mariage si, au fil de la journée, chaque fois que nous pensons à lui, nous priions aussi pour lui ?

Un jour, une dame âgée m'a confié : « Il y a des années, j'ai adopté cette règle. Chaque fois que je voulais demander quelque chose à mon mari, je priais d'abord : "Seigneur, aide-le à vouloir le faire." Puis j'allais vers lui et je présentais ma requête. » J'ai demandé à son mari son point de vue sur l'efficacité de sa méthode et il a répondu : « Chaque fois qu'elle me demande quelque chose, je prie d'abord : "Seigneur, aide-moi à vouloir le faire." Je répète cette prière plusieurs fois en me dirigeant vers la tâche qu'elle m'a demandé d'accomplir. Généralement, au moment où je dois vraiment m'y mettre, j'en éprouve le désir. » Je ne suggère pas que tous les couples devraient adopter cette méthode, mais nous devrions nous inspirer de ces époux qui croient que Dieu se soucie du fonctionnement interne de leur relation conjugale. Peut-être que si nous priions davantage l'un pour l'autre, non seulement nous jouirions d'une intimité spirituelle accrue, mais nous laisserions aussi moins de conflits irrésolus miner notre mariage.

Etudier les Écritures ensemble

La Bible nous conseille : « Efforce-toi d'être digne d'approbation aux yeux de Dieu, comme un ouvrier qui n'a pas à avoir honte de son travail, qui annonce correctement le message de la vérité. » (2 Timothée 2.15) Jésus était le maître enseignant. Ses fidèles étaient appelés disciples. Nous en sommes, nous aussi. La Bible est le livre de Dieu. Il y a révélé sa volonté pour notre vie. En étudiant les Écritures, nous découvrons comment il envisage le monde et le rôle que nous y jouons. Les conjoints qui s'impliquent ensemble dans l'étude de la Bible ou partagent le fruit de leur étude individuelle améliorent grandement leur intimité spirituelle.

Aucun ouvrage n'est plus étonnant que la Bible. Il s'agit de la compilation de soixante-six livres écrits sur une période d'environ quinze siècles par une quarantaine d'auteurs différents. Elle fut rédigée en trois langues, et pourtant une fois compilée, elle raconte une histoire unique depuis les débuts de l'humanité jusqu'à la fin de l'histoire humaine. Aucune œuvre ne contredit l'autre et toutes sont complémentaires. C'est l'histoire de Dieu, le Créateur, et de l'homme, sa créature, de l'immense amour de Dieu pour nous, de son désir de vivre en communion avec nous, de son plan pour nous sauver de nos péchés et nous accueillir comme ses enfants. Aucun livre ne justifie autant notre attention. Aucun livre n'apporte plus d'espoir et d'aide dans la vie quotidienne.

La Bible affirme être la Parole de Dieu : « Aucune prophétie n'est jamais venue de la seule volonté d'un homme, mais c'est parce que le Saint-Esprit les guidait que des hommes ont parlé de la part de Dieu. » (2 Pierre 1.21) Pierre écrit aussi ailleurs : « Tous les humains sont comme l'herbe et toute leur gloire comme la fleur des champs ; l'herbe sèche et la fleur tombe, mais la parole du Seigneur demeure pour toujours. » (1 Pierre 1.24-25) Si la Bible est effectivement la Parole de Dieu, nous devrions chercher à la lire passionnément, avec le désir d'entendre ce qu'il veut nous dire. Si les conjoints partagent ce qu'ils découvrent dans leur moment de dévotion personnelle et s'ils participent ensemble à des études bibliques, ils verront leur intimité spirituelle renforcée. Voici quelques idées pratiques pour étudier la Bible :

- Etudiez séparément votre commentaire, puis partagez un élément qui vous a impressionné ou une question que vous vous posez. Enfin, discutez d'un détail que vous pouvez appliquer dans votre vie.
- Lisez un guide de lecture quotidienne ensemble et partagez vos impressions et vos questions.
- Inscrivez-vous à un cours de formation biblique organisé par votre église ou par un institut. En plus des sessions en groupe, discutez de chaque leçon en couple.

Servir ensemble

Une autre façon de stimuler l'intimité spirituelle consiste à servir Dieu ensemble. Jésus a dit : « Le Fils de l'homme n'est pas venu pour se faire servir, mais il est venu pour servir, et donner sa vie comme rançon pour libérer beaucoup d'hommes. » (Matthieu 20.28) L'apôtre Pierre a dit de Jésus qu'il « a parcouru le pays en faisant le bien » (Actes 10.38). La motivation de Jésus était de servir les autres. Son acte ultime de service consista à monter sur la croix, où il s'est donné pour les péchés de l'humanité. En tant que disciples, nous sommes encouragés en ces termes :

> Ne nous lassons pas de faire le bien ; car si nous ne nous décourageons pas, nous récolterons quand le moment sera venu. Ainsi, tant que nous en avons l'occasion, faisons du bien à tous, et surtout à nos frères dans la foi.

> ~ *Galates 6.9-10*

Le grand défi de la foi chrétienne consiste à donner sa vie au service des autres sous la direction de Dieu. Nous devenons ses « membres », ses serviteurs dans notre génération. Jésus nous a enseigné qu'en servant les autres, c'est lui que nous servons (Matthieu 25.40). Paul, le grand apôtre, a dit : « Nous ne nous annonçons pas nous-mêmes en prêchant : nous annonçons Jésus-Christ comme Seigneur ; quant à nous, nous déclarons être vos serviteurs à cause de Jésus. » (2 Corinthiens 4.5)

Si le service de Dieu est à ce point essentiel dans la vie chrétienne, il joue forcément un rôle important dans le développement de l'intimité spirituelle des conjoints. La plupart des couples chrétiens sont impliqués dans un type de service ou l'autre. Toutefois, une proportion importante d'entre eux travaillent séparément. Une épouse enseigne peut-être à l'école du dimanche tandis que son mari chante dans la chorale. Un mari peut être impliqué dans les visites à domicile alors que sa femme dirige le comité missionnaire. Il n'y a rien de mal à cela. Une bonne partie de notre service doit assurément être effectué séparément, mais l'intimité spirituelle est fortement favorisée quand nous pouvons nous impliquer en couple dans un projet spécifique.

Pendant de nombreuses années, ce sont des équipes composées de conjoints qui ont dirigé le catéchisme dans notre église. Cette méthode est non seulement saine d'un point de vue éducatif pour les élèves, mais elle permet aussi de renforcer considérablement l'intimité spirituelle des couples. Beaucoup de couples ont constaté que de brefs séjours missionnaires à l'étranger approfondissaient leurs liens spirituels. Je me rappelle un couple de jeunes mariés engagés auprès de moi dans le projet de construction d'une église dans un petit village brésilien. Chacun travaillait quatorze heures par jour et dormait dans une pièce juste assez large pour poser un grand matelas sur le sol. Vingt ans ont passé depuis cette expérience missionnaire, mais cet homme et cette femme n'ont plus jamais été les mêmes. Ils sont rentrés du Brésil avec une vision renouvelée pour les missions, ils se sont engagés dans nos programmes missionnaires en faveur des enfants et se remémorent encore avec plaisir ce que Dieu a fait dans leur cœur alors qu'ils servaient ensemble.

Beaucoup de projets de service sont informels et ne répondent à aucune invitation. Une occasion est observée et saisie. Un membre de l'église décède et vous passez trois heures ensemble à nettoyer la maison du conjoint désormais veuf, avant l'arrivée de ses amis. Votre conjoint et vous rencontrez un parent isolé et convenez d'emmener sa fille de dix ans en week-end à la campagne. Un ami déménage et vous l'aidez tous deux à nettoyer la maison après le départ du camion. Une personne âgée immobilisée chez elle a besoin d'une visite, vous vous y rendez en couple et vous consacrez une heure à lui rappeler de bons moments et à rire en sa compagnie. Vous connaissez le souci financier d'une famille de l'église, vous en discutez ensemble et convenez de lui faire don d'une certaine somme d'argent en guise de témoignage d'amour chrétien. Une veuve a besoin que l'on nettoie les gouttières de sa maison, que l'on tonde sa pelouse ou peigne un mur, et vous convenez tous deux de consacrer le temps et les efforts nécessaires pour l'aider. A travers ces actes de service, non seulement vous progressez spirituellement en tant qu'individus, mais vous développez aussi un lien spirituel qui influencera et enrichira le reste de votre vie de couple.

Les actes de service individuels, racontés ensuite à votre conjoint, renforcent aussi votre intimité. Il nous est impossible de tout effectuer ensemble, mais nous pouvons nous faire part des occasions que Dieu nous a données de servir notre prochain. Nous pouvons nous réjouir et nous encourager mutuellement dans nos responsabilités respectives.

Rêver ensemble

Dernièrement, un homme m'a confié : « Je songe à prendre ma retraite de bonne heure. Ma femme et moi voudrions nous engager dans un projet humanitaire : bâtir des églises, aider les populations en détresse, ce genre de choses. Nous avons un camping-car et nous pourrions partir deux ou trois semaines d'affilée pour nous investir de cette façon ! » Comme il était réjouissant d'entendre cet homme rêver ! Trop d'entre nous regardent en arrière et non en avant. Nous regrettons nos erreurs passées ou les souffrances qui ont entravé notre parcours, au lieu de rêver de ce que Dieu a encore en réserve pour nous. L'intimité spirituelle est renforcée par les rêves communs. Certains d'entre eux deviendront réalité et d'autres ne se concrétiseront jamais, mais le fait de rêver ensemble et d'évoquer ces projets un peu fous augmentera notre intimité spirituelle.

Rêver et planifier certaines démarches précises de croissance spirituelle nous place dans une perspective stimulante. Voici quelques idées susceptibles de vous donner l'occasion de grandir spirituellement et de servir les autres.

- Participer à un séminaire pour couples.
- Suivre une formation théologique.
- Bâtir ou réparer des locaux d'église.
- Créer une mission.
- Inclure une église ou une institution charitable dans votre testament.
- Partir en voyage humanitaire.
- Diriger un groupe de soutien pour couples.
- Préparer un repas pour des personnes démunies.
- Effectuer de petits travaux de réparation pour une personne âgée.
- S'engager dans un comité de l'église.

Cochez les sujets qui vous attirent. Dressez la liste de vos rêves et partagez-la avec votre conjoint. Vous êtes engagés dans un pèlerinage qui durera jusqu'au retour du Seigneur ou jusqu'à votre mort. Dieu nourrit des plans pour vous deux : à vous de répondre aux appels de son Esprit en faveur de ces projets.

Entretenir des rêves nous empêche de nous enliser dans nos erreurs passées ou dans la monotonie du présent. Les rêves plantent des graines d'espoir et élargissent notre champ de vision. Rêver, c'est reconnaître que nous ne pouvons investir toute une vie de service dans un seul jour ou une seule semaine, mais que nous pouvons prévoir d'utiliser notre avenir avec sagesse. Si nous rêvons et si nous planifions, nous pouvons tirer bénéfice du temps qui nous est imparti.

Nous n'avons pas tous reçu les mêmes possibilités. Nous ne sommes pas dotés des mêmes talents et des mêmes aptitudes, mais nous sommes responsables de ce que Dieu nous a donné. Il ne nous demande pas de faire le travail que d'autres sont appelés à accomplir, mais il nourrit des projets pour chacun d'entre nous. Il n'exige pas que nous soyons brillants, superbement doués ou bardés de diplômes. Il nous veut fidèles à l'égard des choses qu'il nous a confiées. Paul a dit : « Tout ce que l'on demande à un homme chargé d'une responsabilité, c'est d'être fidèle. » (1 Corinthiens 4.2)

ᖚ

Notre relation avec Dieu est au cœur de l'édification d'un mariage durable et heureux. Nous savons que la vie chrétienne ne s'arrête pas au salut. La priorité est la croissance spirituelle : ressembler de plus en plus à Jésus-Christ, et c'est là la responsabilité personnelle de chacun. Parallèlement, le plan de Dieu pour notre couple est que nous partagions notre progression spirituelle. En parlant, en priant, en étudiant, en servant et en rêvant, nous accomplirons la volonté de Dieu pour notre vie. Nous ne sommes pas parfaits. Nous ne ressemblons parfois pas du tout à Jésus-Christ, mais nous croyons que « si nous vivons dans la lumière, comme Dieu lui-même est dans la lumière, alors nous sommes unis les uns aux autres et le sang de Jésus, son Fils, nous purifie de tout péché » (1 Jean 1.7).

Chapitre 23

Pourquoi personne
ne m'a-t-il rien dit ?

Un samedi après-midi. Mon séminaire est terminé. Les couples commencent à se disperser et à quitter la salle où avaient lieu nos réunions. André se dirige vers moi, le visage inondé de larmes et s'écrie : « Pourquoi personne ne m'a rien dit il y a des années ? J'en ai appris davantage sur le mariage au cours des deux dernières heures que pendant toute ma vie. Si j'avais su cela plus tôt, mon mariage aurait pu être complètement différent. »

La femme d'André, Léa, l'avait quitté trois semaines plus tôt, décrétant qu'elle « ne désirait plus être mariée ». André avait assisté au séminaire en cherchant fiévreusement à comprendre pourquoi il avait échoué. « J'ignore si ma femme acceptera de me donner une seconde chance, dit-il. J'aurais voulu savoir cela dès le début. »

Malheureusement, des milliers d'André et de Léa peuplent les églises modernes. Certains fréquentent leur communauté depuis des années. Or, à l'exception d'un sermon occasionnel sur le sujet, ils ont reçu très peu d'aide pour bâtir leur union. Ils n'ont jamais été confrontés aux principes bibliques du mariage alliance et ils ne disposent d'aucun outil pour développer leur communication et leur intimité. Sur le plan pratique, ils ne sont pas mieux équipés que les couples non chrétiens. Cela explique-t-il pourquoi le taux de divorce dans les églises rejoint celui de la société ?

Le plus ironique est qu'André et Léa vivent à une époque qui a produit davantage de livres consacrés au mariage et plus de matériel destiné à l'enrichissement des couples que toutes les générations précédentes. Le problème n'est pas le manque de ressources, mais bien le manque de dialogue sur le sujet. André a reconnu plus tard qu'avant d'assister à mon séminaire, il n'avait jamais lu le moindre livre sur le sujet, jamais participé à aucune étude ni retraite destinée à enrichir le mariage, jamais parlé à un conseiller chrétien, ni même discuté de son couple avec son pasteur. « Je pensais que notre mariage se portait bien, expliqua-t-il. Avant qu'elle quitte la maison, j'ignorais qu'elle était malheureuse. »

Les responsables d'église, professionnels ou non, peuvent chercher à se déculpabiliser en supposant qu'André était tout bonnement un mari naïf qui aurait dû se montrer plus sensible aux besoins de sa femme. Je ne cherche pas à minimiser le rôle d'André, mais je n'ai pas pu lui imputer l'entière responsabilité de sa situation quand j'ai compris qu'il était membre actif d'une église chrétienne depuis vingt ans.

Récemment, une rencontre a réuni deux cents pasteurs issus de différentes dénominations. A la fin de mon exposé sur l'enrichissement du mariage dans l'église, j'ai demandé : « Combien parmi vous ont chargé un couple de la responsabilité spécifique de l'enrichissement conjugal dans votre église ? » Cinq mains sur deux cents se sont levées, ce qui signifie sans doute que dans cent quatre-vingt-quinze églises sur deux cents, aucun pasteur n'avait cherché dans son église un couple capable d'accompagner ses pairs. Si cette réalité n'évolue pas, le nombre d'André et de Léa dans nos communautés ne cessera de croître.

Pour que l'église puisse faire une différence dans la culture moderne, il n'existe pas de meilleur point de départ que de redécouvrir sa mission biblique à l'égard du mariage alliance. A l'université, j'ai suivi un cursus d'anthropologie, l'étude des cultures. Or, aucune culture n'a jamais survécu à la dissolution du mariage et de la famille. La culture occidentale ne fera pas exception. Si la tendance observée ces vingt dernières années se maintient, la civilisation occidentale s'autodétruira. La famille est la cellule qui garantit la stabilité sociale. Si la structure familiale perd son emprise sur la société, la société elle-même devient instable.

Je suis profondément convaincu que l'Église chrétienne détient le seul espoir pour modifier la tendance actuelle. Je crois que chaque communauté locale, quelle que soit sa dénomination, devrait organiser des événements réguliers et continus sur l'enrichissement conjugal pour ses propres fidèles. Quand les couples chrétiens prendront enfin au sérieux le modèle biblique du mariage, ce dernier deviendra irrésistiblement attirant aux yeux du monde non chrétien.

Il y a quelques années, quand Ross Campbell et moi avons coécrit le livre *Parent d'enfants adultes* [1], nous avons découvert que 87 % des adultes célibataires entre vingt et trente ans affirmaient vouloir se marier pour la vie. Ils ont vu leurs parents divorcer, ils ont connu la douleur de l'abandon et ils n'ont pas envie de reproduire le modèle. Bien sûr, ils ignorent complètement comment concrétiser leur désir de relation à vie. L'homme est par nature égocentrique et l'envie de connaître un mariage durable provient généralement de la conviction qu'il s'agit là de la meilleure option pour lui. Mais cet égocentrisme n'est pas la formule adéquate pour réussir son mariage.

L'Église chrétienne dispose non seulement du modèle du mariage alliance, mais aussi d'instructions claires de la part de Dieu sur la façon de le bâtir, ainsi que de la puissance du Saint-Esprit qui nous permet d'aimer inconditionnellement et de consacrer notre vie à autrui. Ce sont là les ingrédients fondamentaux du mariage alliance.

Si vous êtes membre d'une église chrétienne, pasteur ou autre, je vous encourage instamment à prier que Dieu suscite un couple ayant une vision et une passion pour l'enrichisse-

---

1. Éditions Farel, 2001.

ment conjugal dans votre communauté. Si celle-ci possède déjà un couple qui a accepté cette responsabilité, priez que Dieu lui donne la sagesse de planifier et d'organiser des événements qui changeront la vie des conjoints de votre église. C'est par là qu'il faut commencer.

Ces événements n'ont pas forcément besoin d'être onéreux ni élaborés. Ils peuvent simplement consister à réunir deux ou trois couples qui s'engagent à lire sur le sujet du mariage chrétien, à en discuter, puis à s'encourager mutuellement dans l'application des principes découverts.

Vous n'avez pas à connaître un mariage parfait pour assumer ce ministère dans votre église. Nous sommes tous engagés dans un processus. Plus nous apprenons, plus nous avons matière à partager. Commencez là où vous en êtes aujourd'hui et vous pourrez enrichir votre propre union et devenir l'instrument de Dieu pour aider d'autres couples.

Lors de mes séminaires, j'encourage les couples à adopter deux mesures qui garantiront l'épanouissement de leur mariage. Premièrement, assistez à un événement consacré à l'enrichissement conjugal une fois par an. Il peut s'agir d'une conférence ou d'un cours dans votre église locale. Deuxièmement, lisez ensemble chaque année un livre sur le mariage. Lisez un chapitre par semaine et discutez ensemble de ce que vous avez appris sur vous-même. Il s'agit là d'un moyen facile pour stimuler la communication et améliorer votre croissance conjugale. Si vous êtes pasteur ou responsable d'église, je vous encourage à appliquer ces deux règles pour enrichir votre propre mariage et mieux vous préparer à servir les autres.

Si vous êtes pasteur, permettez-moi aussi de vous encourager à ne pas tenter d'assumer seul un programme d'enrichissement conjugal. Priez que Dieu suscite un couple pour endosser cette responsabilité. Motivez l'église à investir de l'argent pour envoyer ce couple à des séminaires et des conférences sur le mariage, où il pourra affiner ses capacités pour remplir ce rôle au mieux. Quand des couples atteignent un point de crise, ils se privent souvent de l'aide disponible par crainte de ne pas pouvoir assumer la dépense. L'église devrait supprimer cet obstacle pour ses couples en difficulté et les encourager, s'ils en ont les moyens, à rencontrer un conseiller conjugal. Si le couple a des revenus trop modestes pour envisager ce type de soutien, l'église devrait pouvoir les aider un peu. Il s'agit là d'un excellent « investissement », car chaque mariage sauvé en influence des dizaines d'autres.

Les pasteurs et les responsables d'église qui refusent de se résigner aux taux de divorce actuels, mais cherchent le moyen pratique de former des couples chrétiens aux aptitudes nécessaires pour vivre un mariage alliance peuvent faire une différence durable, non seulement dans la culture occidentale, mais aussi dans le monde. La réussite des mariages chrétiens fera considérablement avancer le royaume de Dieu.

Table des matières

Les Éditions Farel seraient heureuses de recevoir
vos remarques ou réactions à propos du livre
que vous venez de lire.

Veuillez écrire à :

ÉDITIONS FAREL
B.P. 20
77421 Marne-la-Vallée, Cedex 2, France

☎ 01 64 68 46 44   📠 01 64 68 39 90

E-mail : lire@editionsfarel.com
Site: www.editionsfarel.com

DU MÊME AUTEUR
AUX ÉDITIONS FAREL

Les langages de l'amour

Comment faites-vous comprendre à vos proches que vous les aimez ? Conjoint, amis, enfants perçoivent-ils vraiment votre amour pour eux ? Si vous pensez qu'il est difficile d'être sur la même longueur d'onde que l'autre dans ce domaine, ce *best-seller* vous sera très utile. En effet, l'auteur nous apprend à décoder le langage de l'autre pour mieux communiquer avec lui et lui manifester son amour.

Format 14 x 21 cm / 192 pages

L'amour dans l'impasse

L'auteur s'adresse cette fois à des couples au bord de la rupture... Il réussit, en un véritable tour de force, à proposer aux conjoints une amorce de solution sans banaliser leur situation désespérée. Pas d'expédients miracles mais une lumière au bout du tunnel pour ceux et celles qui désirent sauver leur couple. Un ouvrage écrit pour eux... et pour toute personne susceptible de les accompagner.

Format 13,5 x 21,5 cm / 256 pages

Les saisons du mariage

Un nouveau concept original et novateur sur les saisons du couple. Le printemps est l'époque du renouveau. L'été procure une douce chaleur empreinte d'harmonie. L'automne est un temps de transformation. L'hiver un temps de silence glacial. Ce livre agira comme un véritable baromètre saisonnier pour y voir plus clair dans son couple et trouver des aides pratiques afin de passer de saisons froides à des saisons plus chaudes. Il contient de nombreux récits de couples et un test pour faire le point et conduire la relation vers l'épanouissement et la solidité.

Format 14 x 21 cm / 224 pages

DU MÊME AUTEUR
AUX ÉDITIONS FAREL

Les langages d'amour de Dieu

Et si Dieu venait à la rencontre de chacun en lui parlant un langage d'amour qui lui est propre ? En s'appuyant sur son expérience professionnelle et personnelle, Gary Chapman explore la relation que chaque individu entretient avec Dieu. Un livre original qui aidera tout un chacun à développer une vie émotionnelle et spirituelle riche.

Langages d'amour des enfants

(En collaboration avec le Dr Ross Campbell)

Combien il est difficile de manifester à son enfant tout l'amour dont il aura besoin pour s'épanouir. En collaboration avec un pédiatre et auteur reconnu, Gary Chapman poursuit son analyse des langages de l'amour adaptés aux enfants. Un livre équilibré et fort utile pour instaurer ou restaurer une meilleure communication entre les parents et les enfants. Pour poser une empreinte d'amour durable dans la vie de vos enfants.

Ciel ! Mon bébé a grandi !

Un jour, sans crier gare, votre enfant devient adolescent et la relation est bouleversée. En cherchant à s'affirmer en tant qu'adulte, l'ado vous repousse, s'enferme ou établit des rapports systématiquement conflictuels. Comment vivre cette transition en tant que parent et quel rôle jouer dans cette vie en pleine transformation ? Chapman connaît bien les problèmes liés à l'adolescence. Il prodigue ici des conseils pleins de fraîcheur, tant pour des parents un peu désorientés par cette transition que pour ceux qui souhaitent anticiper cette période de réajustement avec leur enfant. Un livre pour réapprendre à exprimer son amour à son enfant adolescent.